Bâtie sur le ROC

Robert Pichette

Bâtie sur le ROC

Mgr Numa Pichette – Témoin d'une époque

L'éditeur désire remercier la Direction des arts du Nouveau-Brunswick et le Conseil des arts du Canada pour leur contribution à la réalisation de ce livre.

Données de catalogage avant publication (Canada)

Pichette, Robert, 1936-
Bâtie sur le roc : Mgr Numa Pichette, témoin d'une époque

Comprend des références bibliographiques.

ISBN 2-7600-0290-x

1. Pichette, Numa, 1906-1992. 2. Église catholique--Nouveau-Brunswick--Clergé--Biographies. I. Titre

BX4705.P418P43 1995 282'.092 C95-900846-2

Conception de la couverture : Claude Gallant
Mise en pages : Charlette Robichaud

ISBN 2-7600-0290-x

C.P. 885
Moncton (N.-B.)
E1C 8N8
Canada

Ainsi tout homme qui entend les paroles que je viens de dire et les met en pratique, peut être comparé à un homme avisé qui a bâti sa maison sur le roc.

La pluie est tombée, les torrents sont venus, les vents ont soufflé : ils se sont précipités contre cette maison et elle ne s'est pas écroulée, car ses fondations étaient sur le roc. Et tout homme qui entend les paroles que je viens de dire et ne les met pas en pratique, peut être comparé à un homme insensé qui a bâti sa maison sur le sable. La pluie est tombée, les torrents sont venus, les vents ont soufflé; ils sont venus battre cette maison, elle s'est écroulée, et grande fut sa ruine.

Évangile selon saint Matthieu, 7, 24-25

Avant-propos

Le titre de cet ouvrage est emprunté à la parabole évangélique, racontée par les apôtres saint Matthieu et saint Luc, de l'homme sage qui a bâti sa maison sur la pierre solide plutôt que sur le sable, de sorte que «la pluie est tombée, les torrents sont venus, les vents ont soufflé : ils se sont précipités contre cette maison et elle ne s'est pas écroulée car ses fondations étaient sur le roc.» (Matthieu 7, 24-25 et Luc 6, 47-48)

Cette maison symbolique, c'est la paroisse Notre-Dame-des-Sept-Douleurs, à Edmundston, au Nouveau-Brunswick. C'est aussi le récit de la vie de son curé fondateur, monseigneur Numa Pichette (1906-1992), qui y œuvra durant trente-trois ans, car il n'est pas possible de parler de l'une sans parler de l'autre puisque cette paroisse aura été au cœur de la vie de son fondateur, sinon l'essentiel de sa vie.

La paroisse : centre de la vie spirituelle d'une communauté humaine, bien sûr, mais aussi et tout autant, facteur primordial de cohésion sociale, du moins dans un passé pas si lointain.

Fondée en 1938, celle-ci n'est pas ancienne et plusieurs de ses pionniers et pionnières sont toujours vivants. Mgr Pichette souhaitait ardemment laisser un témoignage de ses impressions personnelles. Ce qui fait que ce livre, de par sa volonté expresse, ne constitue pas des mémoires au sens classique du terme, ni une histoire de la paroisse, pas plus qu'une rigoureuse biographie. Il s'agit, plus simplement, d'une excursion dans les chemins de la mémoire; ces chemins parfois sinueux qui débouchent sur l'avenir en serpentant dans le passé.

Le 22 août 1988, Mgr Pichette avait communiqué des instructions précises à l'auteur :

> Tes suggestions sont très bonnes; seulement, je ne veux pas m'attarder sur mes années d'enfance ni de collège, sinon pour glisser sur ces étapes rapidement. C'est surtout [sur] la paroisse que j'aimerais m'étendre; les débuts en 1937 et 1938 avec ma nomination comme curé, la construction de la première église et aussi de la deuxième avec le presbytère [et] toutes les activités que cela a entraînées. Naturellement, il faudra insister beaucoup sur le côté spirituel avec la prédication locale et aussi la prédication ailleurs (pour les Ligues du Sacré-Cœur, les anniversaires, les mouvements diocésains, etc.), les heures saintes nombreuses prêchées ici et ailleurs dans le diocèse. Depuis ma retraite en 1971, la constuction des Résidences et leur fonctionnement...

J'ai respecté ses directives en autant que faire se peut. Toutefois, j'ai insisté, un peu lourdement peut-être, sur son enfance et sa formation parce qu'elles situent le personnage dans le temps et dans le milieu qui lui étaient propres et qui, bien entendu, ont exercé une influence durable sur lui. Il en va de même pour ses années à Chatham et à Loggieville, où non seulement il se fit la main avant de prendre en charge la nouvelle paroisse d'Edmundston-Est, mais encore il fut au cœur d'un événement historique important pour la collectivité acadienne : le transfert du siège épiscopal de Chatham à Bathurst.

Il aurait aimé voir ce livre de son vivant. Il a souvent pressé l'auteur qui, pris par les nécessités du *primo vivere*, n'a pu lui faire lire que quelques pages et agréer le titre. «Je ne veux pas te hâter, m'écrivait-il le 21 novembre 1990, mais j'aimerais que tu fasses ce travail et que je puisse le lire... je ne suis plus une jeunesse et à l'âge que j'ai, les facultés peuvent diminuer vite.» Bien que l'on soit sans illusion sur l'issue de la vie, il n'empêche que l'on croit immortels ceux qu'on aime. Il lira donc ce livre dans l'au-delà avec cet avantage très net pour l'auteur qu'il ne pourra rien y changer comme il l'aurait très certainement fait de son vivant!

Quant au titre, il en était enchanté, m'écrivant : «Tu es ingénieux d'avoir pensé à ce magnifique titre... toute l'Église, en fait, est bâtie sur le roc et je crois que sprirituellement, la paroisse est aussi bâtie sur le roc. Félicitations.»

Ce récit est le résultat d'une série d'entrevues recueillies sur bandes magnétiques au cours de plusieurs années; de documents de famille, de textes, de notes, de coupures de presse et de photographies conservés par le prélat et confiés à l'auteur. L'ensemble a été déposé au Centre d'études acadiennes de l'Université de Moncton, à Moncton, à l'exception de photographies prises à Pointe-de-l'Église et qui ont été remises au Centre acadien de l'Université Sainte-Anne. Mgr Pichette avait gardé un profond attachement à cette institution acadienne qui fut l'une des grandes influences dans sa vie.

On me permettra ici de remercier vivement le personnel du Centre d'études acadiennes de l'Université de Moncton, ayant profité depuis tant d'années, pour ce livre comme pour d'autres, d'un dévouement exemplaire que je ne louerai jamais assez.

Cette entreprise ne va pas sans risques puisque l'auteur est le neveu du protagoniste. Or, il n'est pas de népotisme de bon aloi, bien que l'Église et l'État nous en aient donné d'innombrables, parfois fastueux et souvent de peu reluisants exemples au cours des siècles. Malgré l'admiration que le neveu voue à l'oncle depuis sa tendre enfance, je me suis borné à recueillir les souvenirs et à les agencer d'une façon aussi logique que possible, en évitant, du moins je l'espère, le double piège de l'amitié et de la bonasse et facile hagiographie.

Pourtant le portrait qui en résulte est unidimensionnel du fait même de la technique utilisée. L'homme n'avait pas que des qualités. Il avait aussi des défauts comme tout le monde, des faiblesses, des manies que l'on ne retrouvera pas dans ce livre; du moins pas entièrement, encore que son autoritarisme perce malgré lui. Ainsi, si on s'amusait à compter la répétition de «je veux» dans les conversations citées, on serait édifié! D'autres qu'un neveu admiratif, mais non naïf, pourront plus facilement retoucher le portrait.

Je l'ai donc laissé parler autant que possible, me bornant à «nettoyer» les inévitables redites et à redresser le style des conversations uniquement lorsqu'il le fallait pour la meilleure compréhension du texte. Il en va de même des textes écrits : seules l'orthographe, la grammaire et la ponctuation ont été modifiés en tant que besoin. Pour l'ensemble, j'ai été scrupuleux.

Une précision pour avertir le lecteur : au vocable «père» si souvent employé à tort pour désigner un prêtre, qu'il soit du clergé séculier ou régulier, j'ai délibérément substitué «abbé», n'utilisant «père» que pour les membres d'une communauté ou d'une congrégation religieuse. Sur ce point, j'eus souhaité être consistant partout dans le texte mais ce ne fut pas possible. Avant sa prélature, j'appelais mon oncle «mon oncle l'abbé». Les textes de l'époque faisaient la différence entre les deux vocables et je suis persuadé que c'est l'influence nocive de l'anglais qui les a confondus. Quant au principal intéressé, il s'accommodait sans problème de l'un ou de l'autre, ne partageant nullement la manie du neveu.

On trouvera dans ce livre une vie bien remplie, active, marquée par une forte personnalité, sûre d'elle, sensible aux innovations, les précédant même, peu encline au doute et ne remettant jamais en cause la foi. Mgr Pichette appartenait à une génération de curés dont l'espèce est en voie d'extinction, si ce n'est déjà fait. Il s'en trouvera pour ne pas le déplorer!

Autres temps, autres styles. C'est que le rôle du prêtre s'est beaucoup modifié au cours des quelques dernières décennies. On ne lui demande plus – on n'exige plus – qu'il soit au centre des affaires, le leader, le porte-parole, le bénisseur, le marieur, le confesseur, le constructeur, le conseiller, l'avocat, parfois le guérisseur, le psychologue, le puits de science sans qui rien ne se faisait et dont le désaveu, jadis, était lourd de conséquence. Bref, l'époque du curé surhomme est révolue. Le prêtre se définit de plus en plus comme pasteur spirituel avec un heureux retour aux valeurs intrinsèques de l'Église et du message évangélique.

Pourtant, la vérité exige de dire que les tâches assumées par les curés d'autrefois, et Mgr Pichette était de cette lignée, n'étaient pas toujours de leur choix ni de leur gré. Ils étaient, faut-il le rappeler, hommes de leur temps.

Lors de sa visite en Acadie, à Moncton, Jean-Paul II, citant sa propre exhortation, *Catechesi tradentiæ*, avait dit de la paroisse que sa vocation «est d'être une maison de famille, fraternelle et accueillante, où les baptisés et les confirmés prennent conscience d'être peuple de Dieu [...] De là, ils sont envoyés quotidiennement à leur mission apostolique sur les chantiers de la vie du monde.»

C'est une définition à laquelle Mgr Pichette souscrivait de cœur et d'intelligence. Des générations de curés ont, en Acadie, bâti solidement sur le roc. C'est l'essentiel de ce récit dont le mérite, s'il en a un, sera d'étoffer une chronologie déjà existante et de donner une âme à une histoire qui se continue, car la paroisse d'ici ou d'ailleurs, tout comme la vie, est une promesse d'avenir dans le renouvellement sur les brisées des anciens.

Il est juste d'ajouter qu'il s'était rendu à Moncton lors de la visite du pape, le 13 septembre 1984. Avec d'autres prêtres, il avait été présenté à Jean-Paul II, successeur de saint Pierre. Ce fut, comme la messe concélébrée en plein air, l'un des très grands moments de sa vie.

Je suis reconnaissant à ma famille qui m'a beaucoup encouragé et, naturellement, à feu Mgr Pichette qui, j'en ai l'intime conviction, ne m'a rien caché avec sa franchise habituelle, ainsi qu'à ma tante, Corinne Pichette, qui m'a été d'un précieux secours par la relecture du texte et d'utiles corrections ainsi que pour l'identification des photographies.

La liste des personnes qui m'ont secondé, aidé, soit de leurs conseils, soit de leurs documents, soit de leur temps, serait trop longue. Qu'elles trouvent ici l'expression de ma vive gratitude. Il convient, cependant, d'en mentionner trois : les Filles de Marie-de-l'Assomption, qui ont si gracieusement mis leurs archives à ma disposition; feu M. Marcel Sormany, mon ancien professeur au collège Saint-Louis, pour qui j'avais la plus grande estime et qui me la rendait, et le père Maurice Léger, curé de la paroisse du Christ-Roi, à Moncton, qui m'a aidé de ses conseils et de ses recherches.

Enfin, j'ai le très agréable devoir de remercier mes vieux et bons amis, Stuart et Valerie Smith qui, une fois de plus, m'ont généreusement offert l'hospitalité de leur maison de Prades, en Roussillon, avec le soleil de la Méditerranée, leurs fleurs, leurs oiseaux, les innombrables chiens des voisins, leur patience et surtout leur compréhension des effarouchements d'un auteur qui ne sait que trop qu'Anthony Trollope avait raison d'affirmer qu'il n'y a pas de façon de bien écrire et d'écrire facilement.

Robert Pichette
Prades, France, avril 1995

Sa Sainteté le pape Jean-Paul II en conversation avec Mgr Numa Pichette, P.A. Derrière, de gauche à droite, le père Antoine Richard, Mgr François Bourgeois, P.D., le père Oswald Porelle. Photo prise dans le sanctuaire de la cathédrale de Moncton, N.-B., le 13 septembre 1984.

PRÉFACE

On ne définit pas un homme. Il échappe à la totale compréhension. Définir, c'est dire les limites. Or, l'être humain dépasse les limites, même celles de l'humanité. Sa mesure est celle d'être l'image de Celui qui est sans mesure – de l'indéfinissable.

Ce livre, fruit des recherches et de l'amitié d'un neveu du prêtre dont il est question, essaie non de définir mais de décrire, au moins partiellement, un personnage de chez nous qui n'a cessé d'étonner et de stimuler son milieu.

Né en Gaspésie le 17 avril 1906, troisième d'une famille de six enfants, Monseigneur Numa Pichette hérita de son père, Joseph-Octave, le sens des affaires, la robustesse physique, la ténacité dans l'entreprise. De sa mère, Marguerite Fallu, il reçut une foi profonde, un grand amour de l'Église et une disposition à la longévité. Il fut un résumé de ses parents. Il fut aussi le centre de la famille, celui qui la réunissait et lui fournit maintes occasions de légitime fierté.

Doué d'une intelligence vive, il poussa son éducation jusqu'au doctorat dans une université romaine. Jeune prêtre, il manifesta vite le sens pratique et le talent de rassembleur. Prêtre le 19 juin 1930, il partit pour Rome ou il étudia le droit canonique. Vicaire à Chatham, il bâtit l'église de Loggieville avant de devenir le curé-fondateur d'une deuxième paroisse à Edmundston, en 1938. C'était le jour de son 8e anniversaire d'ordination. Le 19 juin 1938, il inaugurait son ministère dans notre milieu.

La ville d'Edmundston n'a jamais été la même depuis.

J'étais collégien. J'avais dix-neuf ans le jour même où il arriva comme fondateur de la paroisse Notre-Dame-des-Sept-Douleurs. C'était le jour de la première messe de mon frère, Basile.

Comme collégien, puis comme séminariste et enfin comme prêtre vicaire, je pus suivre de près les activités du nouveau curé.

On s'étonnait de son sens pratique, de la force de sa prédication, de sa capacité à faire avancer les choses, de son savoir dans les sciences ecclésiastiques, de son influence sur les foules qu'il convainquait vite de s'unir, de s'instruire pour réussir.

Ce volume dira les étapes de sa vie endiablée pendant trente-trois années à la direction d'une des grandes paroisses du diocèse d'Edmundston.

L'Église reconnaît à sa façon les mérites de ses fidèles serviteurs. Monseigneur Pichette obtint la plus haute distinction donnée à un prêtre. Après avoir été nommé prélat d'honneur du pape, il fut élevé au rang de protonotaire apostolique.

Le *Livre des Proverbes* nous dit : «À chacun revient le salaire de l'œuvre de ses mains», et les *Actes des Apôtres,* 14, 13 disent aussi : «Qu'ils se reposent de leur travail car leurs œuvres les suivent.»

Bien des monuments sont les témoins visibles des œuvres de ce bâtisseur. Qui pourra cependant mesurer la valeur de ce que saint Paul appelle l'édifice spirituel «les pierres vivantes» que la parole, la prière et les sacrements développent chez les fidèles. Le même apôtre écrivait à Timothée (1re, 5-7) : «Les anciens qui exercent bien la présidence méritent double honneur, surtout ceux qui peinent au ministère de la parole et à l'enseignement.» Monseigneur Pichette a aimé la prédication. Il n'a pas été un «chien muet». Il a hurlé la vérité à temps et à contretemps. Sa voix à porté des «fruits qui demeurent».

Je ne veux pas écrire un livre pour présenter un livre. Ceci ne doit être qu'une préface. Je veux seulement servir de porte d'entrée à une histoire qui mérite d'être écrite. Ceux qui ont connu

Monseigneur Pichette n'auront pas besoin d'explications pour comprendre. Ceux qui ne l'ont pas connu n'auront pas besoin de preuves supplémentaires pour admirer.

Je me réjouis de cette œuvre écrite qui perpétue un souvenir et prolongera même au-delà de la vie du personnage, les œuvres que nous regardons avec étonnement et un certain orgueil.

† Gérard Dionne
Évêque émérite d'Edmundston

Chapitre 1

La famille

Deux Pichet prirent la route de la Nouvelle-France au milieu du XVIIe siècle mais on ne sait pas encore s'ils étaient frères, cousins ou même parents. Pierre Pichet dit la Tourette, vint à Québec entre 1660 et 1665 s'établir à Neufville sur une terre de deux arpents acquise le 2 mars 1670. Jean Pichet dit Pégin, né en 1636 et décédé en 1699, fut confirmé par monseigneur de Montmorency-Laval au Château-Richer avec 170 personnes, le 10 août 1660[1]. On peut donc conclure qu'il était passé en Nouvelle-France avant 1660, mais on ne connaît encore ni son port d'embarquement, probablement La Rochelle, ni le nom du navire sur lequel il s'embarqua, ni le nom de ses parents. On sait seulement par les registres de Château-Richer sur la côte de Beaupré qu'il était «de Saint-Pierre évêché de Poitiers».

Par contre, il est acquis que Pierre Pichet était originaire de Faye-la-Vineuse, commune du canton de Richelieu, en Touraine, arrondissement de Chinon, mais au diocèse de Poitiers jusqu'à la Révolution. Ses registres contiennent des actes précis le concernant mais sont muets quant à Jean.

Au hameau de Marnay, à la périphérie de Faye-la-Vineuse, il y avait jusqu'en 1799 une paroisse dédiée à saint Pierre dont l'église, construite au XIIe siècle, a été convertie en grange.

---

1. Raymond Gariépy, *Le village de Château-Richer (1640-1870)*, Cahiers d'histoire no 21, Québec, La Société historique de Québec, 1969, p. 12.

Vue générale aérienne de Faye-la-Vineuse, Indre-et-Loire (France), avec sa collégiale du XIIIe siècle.

Faye-la-Vineuse fut une ville importante au Moyen Âge. Elle s'enorgueillit à juste titre de sa splendide collégiale Saint-Georges dont la construction fut entreprise au XIIe siècle et remaniée au XIXe. Bien que relevant du diocèse de Poitiers, elle est sise en Touraine, aux confins du Poitou. La baronnie, qui n'est plus aujourd'hui qu'un calme et pittoresque bourg où l'on accueille les Pichette et les Piché d'Amérique avec une chaleureuse hospitalité, est située à huit kilomètres de la ville de Richelieu. Elle fut acquise par le cardinal de Richelieu en 1626 et incorporée dans le duché-pairie érigé en 1631 en faveur du grand cardinal-duc, premier ministre de Louis XIII[2].

2. Documentation aimablement fournie par M. Gilles Étienne, ancien instituteur et secrétaire de la mairie de Faye-la-Vineuse, Indre-et-Loire, ainsi que le texte d'une conférence, «Faye-la-Vineuse à travers les âges». Sur la collégiale Saint-Georges, voir Claudine Doreau, «L'église de Faye-la-Vineuse», *Le Picton*, revue régionale bimestrielle, novembre-décembre 1991, nº 90, Poitiers, France.

De nos jours, aucune famille portant le patronyme ne se trouve dans la région. «Vineuse» évoque naturellement les vignes (Pinot blanc) bien qu'il ne s'y fasse plus de production commerciale et que la tradition soit en voie d'extinction. «Pichet» rappelle sans détour le petit broc à bec et son contenu. Deux nobles chevaliers de Malte originaires de Touraine et portant le patronyme de Pichier étalaient trois pichets d'argent sur fond noir dans leur blason. Il n'est donc pas impossible que Jean Pichet ait été, comme Pierre, originaire de Faye-la-Vineuse.

De plus, on sait que le cardinal de Richelieu s'est personnellement intéressé au développement et au peuplement de la Nouvelle-France et de l'Acadie, allant jusqu'à charger ses vassaux de recruter du personnel pour le Nouveau Monde dans ce qui constitue aujourd'hui en France les départements d'Indre et Loire, de Maine et Loire, et de Vienne. Il est tout à fait plausible, sinon probable, que les deux Pichet, parents ou non, tourangeaux ou poitevins, aient été recrutés de cette façon pour fonder au Canada deux familles distinctes.

La graphie du nom s'est modifiée vers 1792, sans doute parce que les porteurs du nom se sont lassés des quolibets par trop allusifs au bon vin et à la cruche, pour ne rien dire du nez, puisque le premier ancêtre est aussi désigné sous le nom de Pifre! Il faut savoir toutefois qu'au Poitou, pichet peut aussi être un diminutif du verbe piquer, le «pic» étant une sorte de pioche servant à creuser la terre. Et quant à «pifre», c'est le nom d'un instrument de musique pour accompagner les danses rustiques de plein air. De l'italien *piferaro*, fifre, il s'agit, selon un glossaire poitevin, d'une petite flute qui désigne aussi celui qui en joue. Quoi qu'il en soit, les descendants de Pierre et de Jean Pichet sont connus aujourd'hui sous le patronyme de Piché, Picher ou Pichette[3].

3. «Réunion à Cap-Santé des descendants de Pierre et Jean Pichet», *Le Droit*, Ottawa. L'Association des familles Piché d'Amérique a été fondée il y a peu d'années.

Maison Pichette à Sainte-Pierre, île d'Orléans, XVIIIe siècle. Publiée dans Ramsay Traquair, *The Old Architecture of Quebec*, Toronto, The MacMillan Company of Canada Limited, 1947, Planche XXIV, p. 56.

Jean Pichet dit Pégin, dit Pépin, dit aussi Pifre et même Pigeon (!) selon les caprices de l'orthographe d'antan, se fit concéder une terre de deux arpents de front sur le fleuve Saint-Laurent dans l'arrière-fief de La Chevalerie, à l'île d'Orléans, par les frères Jean Juchereau de La Ferté et Nicolas Juchereau de Saint-Denys – concession enregistrée devant le notaire Paul Vachon le 10 août 1662[4].

4. Léon Roy, *Les terres de l'île d'Orléans 1650-1725*, édition revue et corrigée par Raymond Gariépy, Montréal, Éditions Bergeron & Fils, 1978, p. 51-52; et Marcel Trudel, *Le terrier du Saint-Laurent en 1663*, Cahiers du Centre de Recherche en Civilisation canadienne-française, n° 6, Ottawa, Éditions de l'Université d'Ottawa, 1973, p. 73-74, 542.

Il épousera à Notre-Dame de Québec, en 1666, Marie-Madeleine Leblanc (1652-1708); le couple aura six enfants dont un mourra à la naissance, ondoyé par un voisin, Jacques Nolin[5].

En 1667, le pionnier possédait une tête de bétail avec un arpent de terre en valeur. En 1681, il avait vingt arpents en valeur et onze bêtes à cornes.

Les Pichette seront terriens dès lors, au point d'être inscrits dans *Le Livre d'or de la noblesse rurale canadienne-française* en 1909, ayant occupé la même terre dans la paroisse Saint-Pierre de l'île d'Orléans depuis dix générations. La terre originale est encore occupée par un descendant du pionnier[6]. Plusieurs, cependant, seront marins, ce qui ne saurait surprendre de la part d'insulaires établis «au pays du grand fleuve». Avec un tel nom, les Pichette étaient sans doute prédestinés à s'établir à demeure à l'île d'Orléans, baptisée à l'origine par Jacques Cartier, île de Bacchus!

Ils se sont mariés à des familles de l'île aussi anciennes qu'eux : les Gosselin, Asselin, Noël, Roberge, Beauché dit Morency, Côté, Crépeau, Godbout, Miville-Deschênes, Guyon, Vigneau, Turgeon, Charest, Roy-Audy, Bouchard d'Orval, Poulin, Vallières, Rousseau, Cloutier, Langlois dit Traversy, pour ne nommer que celles-là. Dans le chassé-croisé généalogique et le jeu des alliances de ces familles pionnières profondément enracinées dans le sol, ils compteront vite parmi les descendants de Guillaume Couillard, seigneur de L'Espinay, anobli en 1654; de Louis Hébert, compagnon de Champlain et de Poutrincourt dont il était parent par alliance, à Port-Royal avant de se fixer à Québec; d'Abraham Martin dit l'Écossais, pilote du roi qui a laissé son nom aux célèbres Plaines d'Abraham.

Ils descendent aussi d'un personnage de haut panache, Jean Serreau de Saint-Aubin, assassin de l'amant présumé de sa femme et qui, après avoir obtenu des lettres de rémission, quitta

---

5. Robert Larin, *La contribution du Haut-Poitou au peuplement de la Nouvelle-France*, Moncton, Éditions d'Acadie, 1994, p. 320.
6. *Le livre d'or de la noblesse rurale canadienne-française*, Québec, publié par le Comité des anciennes familles, 1909, p. 114.

sa terre de l'île d'Orléans vendue à monseigneur de Montmorency-Laval pour s'établir en Acadie. En juin 1684, on lui concédait la seigneurie de Passamaquoddy.

Ils comptent aussi dans leur généalogie, dès leur arrivée au pays, un très grand explorateur, Jean Nicolet, sieur de Belleborne (1598-1642), commis principal et interprète de la Compagnie des Cent-Associés et explorateur des territoires qui constituent aujourd'hui les États américains du Michigan et du Wisconsin. Sa fille naturelle, Euphrasie-Madeleine, était une amérindienne de la nation des Nipissing. Elle épousa en 1643 Jean Leblanc dit Lecour, et leur fille Marie-Madeleine épousa Jean Pichet, de la branche des Pichette de la région de Québec, de la Gaspésie et du Nouveau-Brunswick.

Mentionnons aussi un personnage étonnant : Madeleine Noël, fille de Philippe Noël et de Marie Rondeau. Cette pieuse fille, sœur de Philippe Noël, seigneur de Tilly, Maranda et Bonsecours, suivit les Sœurs de la Congrégation de Notre-Dame à Louisbourg, au Cap-Breton, pour s'y consacrer à l'enseignement. Elle obtint la faveur sur son lit de mort de faire sa profession religieuse dans la congrégation fondée par sainte Marguerite Bourgeoys. Ce fut la première religieuse en Acadie. Morte le 18 janvier 1729 à l'âge de vingt-cinq ans, elle fut inhumée le lendemain «en Le milieu de la nefe Du Cote de L'évangile» dans l'église conventuelle et paroissiale de Louisbourg[7].

Et cet autre personnage, Louis Pichet (1685-1760), nommé notaire royal pour l'île d'Orléans et le comté de Saint-Laurent par commission de l'intendant Gilles Hocquart le 17 août 1710. Une nouvelle commission en date du 28 mai 1736 lui permettait d'exercer son office dans les côtes «tant du Nord que du Sud savoir depuis Beauport jusqu'à la Baie Saint-Paul et l'île Aux Coudres inclusivement, et depuis et compris les paroisses de la pointe de Levy jusqu'à Kamouraska aussi inclusivement[8]».

7. France, Archives nationales, section Outre-Mer, G[1], vol. 406, registre IV : Louisbourg 1728-1738.
8. J.-Edmond Roy, *Histoire du notariat au Canada*, vol. 1, p. 167.

Il ne reste absolument rien de son greffe, celui-ci ayant été complètement détruit dans l'incendie de sa maison par les troupes anglaises qui dévastèrent l'île d'Orléans lors du siège de Québec. Une légende de famille veut qu'il soit mort de chagrin le 13 mai 1760 au lendemain de la Conquête. Il fut inhumé à Saint-Pierre le 15 mai par le curé Louis-Philippe Mariauchau d'Esgly, qui devait devenir évêque de Québec en 1770 sans pour autant quitter sa paroisse de l'île d'Orléans où il fut cinquante-quatre ans curé.

Le notaire Pichet avait une réputation de grand savoir et on le savait influent. Ainsi, un historien rapporte qu'une querelle avait éclaté entre les curés de Saint-Pierre et de Saint-Laurent, alors placé sous le vocable de saint Paul, au sujet du partage de reliques de ces deux apôtres. Cette querelle donnait lieu à des sermons particulièrement virulents et le notaire royal ne se gênait pas pour interrompre souvent le sermon de son curé et l'interpeller en latin, au grand ébahissement des paroissiens qui n'y comprenaient rien!

À la sixième génération, parce qu'on ne pouvait plus subdiviser les terres originales entre les nombreux descendants du pionnier, Magloire-Octave Pichette (1841-1929), fils cadet de Louis Pichet et de Marie Rousseau, profita de l'ouverture de la Gaspésie à la colonisation pour s'établir à Nouvelle, comté de Bonaventure.

À l'époque, la population de la Gaspésie était fort disparate. Acadiens, Écossais, Irlandais et Jersiais côtoyaient les Français du Québec. Il en résulta naturellement des alliances et des généalogies aussi bigarrées qu'une courtepointe, reflet fidèle d'un immense territoire qui s'ouvrait à la colonisation. L'apport de cultures fort diversifiées a fortement marqué ce coin de pays.

On pardonnera une brève incursion dans les méandres de l'histoire de la Gaspésie et dans les ramifications d'un arbre généalogique par ailleurs étonnant par sa diversité et qui nous plonge dans une époque héroïque typique d'un pays en devenir. D'ailleurs, on cousine encore beaucoup dans la famille.

À vrai dire, Magloire-Octave Pichette n'était pas le premier de la famille en cette Gaspésie où Jacques Cartier aborda en 1534. On retrouve un Jacques Pichet, qualifié de navigateur dans un inventaire des habitants établi à Gaspé en 1722[9]. Il s'agit fort probablement de Jacques Pichet (1702-1772), fils de Jacques (1668-1713) et de Louise Asselin, inhumé à Sainte-Famille, île d'Orléans, le premier mai 1772.

Magloire-Octave Pichette n'avait que dix-sept ou dix-huit ans lorsqu'il répondit à l'invitation de son oncle maternel, Joseph Rousseau (ca 1818-1886), marchand établi à Nouvelle, originaire de la paroisse Saint-Roch, à Québec, et qui joua un rôle assez actif dans le développement de la Gaspésie à cette époque. Ainsi, en 1871, il fut l'un des actionnaires de la Compagnie de la Baie-des-Chaleurs, une société privée formée par l'honorable Théodore Robitaille, député fédéral de Bonaventure et plus tard lieutenant-gouverneur du Québec, pour amener un chemin de fer en Gaspésie[10]. Les promoteurs de ce chemin de fer, qui ne fut pas réalisé, étaient associés au Parti conservateur et à la famille Robitaille. Il se peut fort bien que Joseph Rousseau n'ait servi que de prête-nom pour l'obtention de la charte d'incorporation.

On peut donc situer approximativement l'arrivée de Magloire-Octave Pichette en Gaspésie vers 1858 ou 1859. Il épousa à Carleton, le 15 septembre 1868, Philomène Ferlatte âgée de quinze ans, dont le père, Hubert, appartenait à une famille originaire de l'île anglo-normande de Jersey. Par leur mère, Lucille Berthelot, et leur grand-mère, Hélène Bernard, les Pichette descendent et se rattachent à presque toutes les familles souches qui ont fondé l'Acadie depuis les origines à Port-Royal. C'est ainsi qu'ils comptent trois fois dans leur généalogie le notaire de Grand-Pré, René LeBlanc[11].

---

9. Jules Bélanger, Marc Desjardins, Yves Frenette avec la collaboration de Pierre Dansereau, *Histoire de la Gaspésie*, Montréal, Boréal Express/Institut québécois de recherche sur la culture, 1981, p. 120.
10. *Ibid.*, p. 458. Joseph Rousseau, décédé le 28 juillet 1886, avait épousé à Carleton, le 12 septembre 1842, Maria Matte, décédée le 16 novembre 1915 à l'âge de 97 ans.
11. Généalogie établie pour Mgr N. Pichette par le révérend Louis Cyr (1895-1985), Edmundston, s.d.

Joseph Rousseau était le tuteur ad hoc de Philomène Ferlatte, fille mineure et orpheline de père et de mère. Aux registres de la paroisse Saint-Joseph de Carleton (la paroisse Saint-Jean-l'Évangéliste de Nouvelle ne sera fondée que l'année suivante), Magloire-Octave – qui signe Octave – y est qualifié de «cultivateur»[12].

De cette union naquirent huit enfants, cinq garçons et trois filles. Le deuxième enfant, Joseph-Octave, fut baptisé à Nouvelle le 21 juin 1874. Il épousa, le 2 février 1897, Marguerite Fallu, fille de Philippe Fallu (1833-1923) et de Sophie Berthelot, sœur de Lucille. Les mariés étant doublement cousins, ils avaient dû obtenir une dispense du deuxième au troisième degré de consanguinité[13]. Le grand-père de la mariée, George Fallu, était né le 6 janvier 1801, fils de Philip Fallu et d'Elizabeth Lefebvre, de la paroisse anglicane Saint Mary's, à l'île de Jersey[14]. Les Fallu avaient une lointaine parenté avec les célèbres Robin puisqu'un Mathieu Fallu, né vers 1585, avait épousé Catherine Robin[15]. George Fallu passa à Pasbébiac, en Gaspésie, en qualité de charpentier pour le compte de la compagnie Robin en 1826[16].

Anglican, il se convertit au catholicisme à l'âge de dix-huit ans, à Charlo, au Nouveau-Brunswick, où il travaillait et où il épousa en 1829 Geneviève McIntyre, fille de John McIntyre et de Reine Bergeron dit d'Amboise qui lui donnera quatorze enfants dont onze survivront. Après avoir travaillé pendant sept ans à la construction de résidences à Dalhousie, au Nouveau-

12. Extrait des registres de la paroisse Saint-Joseph-de-Carleton, comté de Bonaventure, diocèse de Gaspé, 1868, M-9, copie le 7 décembre 1973.
13. Acte de mariage de Joseph-Octave Pichette, forgeron, et de Marguerite Fallu, Octave Drapeau, prêtre, curé, paroisse Saint-Jean-l'Évangéliste, Nouvelle, comté de Bonaventure, Québec, 2 février 1897, copie conforme le 7 décembre 1973.
14. Marion G. Turk, *The Quiet Adventurers in Canada*, Detroit, Michigan, Harlo Press, 1979, p. 239-240.
15. Jean-Marie Fallu, *Familles Fallu – Registres de l'église St-Pierrre, île de Jersey – Registres de l'église St-Hélier, île de Jersey – Registres de l'église St-Laurent, île de Jersey*, manuscrit dactylographié, Gaspé, s.d.
16. Bernard Thériault, *Les Robin : présence jersiaise en Acadie*, travail présenté au département des Ressources historiques du Nouveau-Brunswick et à l'administration du Village historique acadien, 24 novembre 1975.

Brunswick, George Fallu alla s'établir à Nouvelle vers 1837 sur une terre boisée qu'il défricha[17]. Ce fut lui, avec ses six enfants et des bénévoles, qui érigea la première chapelle en 1866.

En 1867, il devint le premier maire de la municipalité de Shoolbred, nom de la seigneurie, poste qu'il occupa jusqu'en 1870. L'année précédente, il avait été élu maire de la nouvelle paroisse civile de Nouvelle. Dans ce premier conseil municipal on retrouve, en qualité de conseillers, Joseph Rousseau et Joseph Berthelot[18].

Deuxième d'une famille de huit enfants – cinq garçons et trois filles – Joseph-Octave Pichette (1874-1944), père de Mgr Pichette, fut d'abord forgeron à Nouvelle. Il avait appris son métier à Bathurst, au Nouveau-Brunswick. Dans la famille, on a aimé les chevaux avec passion, surtout les chevaux de course[19]. Mais il changea radicalement de carrière du jour au lendemain et par pur hasard.

Au matin du premier juin 1893, le train de la compagnie The Atlantic and Lake Superior Railway, mieux connu alors comme «le train de la baie», inaugurait officiellement le tronçon Matapédia-Caplan. Hélas! le mécanicien avait quelque peu célébré la veille et n'était pas en état de prendre les commandes d'une locomotive. Joseph-Octave Pichette et son beau-frère, Albert Fallu, se trouvaient à bord[20]. S'ensuivit une question peu banale de la part d'un des contremaîtres du train :

«Pourrais-tu conduire le train jusqu'à New Carlisle?

– Oui, mais pourquoi?

---

17. Réminiscences de Lazare Fallu (1849-1939), [fils de George], manuscrit dactylographié, 20 mai 1936, et réminiscences d'Antoine Fallu (1899-1990), [fils de Lazare], manuscrit dactylographié, Nouvelle-Ouest, 19 novembre 1982.
18. *1869-1969 – St-Jean-L'Évangéliste – Nouvelle*, album souvenir, Acton Vale, Québec, Imprimerie G. Desilets Inc., p. 42.
19. Jacques Dugas avec la collaboration d'Yvon Pichette, *Le rond de course de Nouvelle 1932-1982 50e*, Rimouski, «Impression des Associés Inc.», 1982, 130 p.
20. Bulletin paroissial, Maria, Qc, vol. 7, n° 7, dimanche 15 février 1959.

– C'est que l'ingénieur a passé une mauvaise nuit; il est "chaud". On ne va pas le laisser partir dans cet état. Peux-tu te rendre jusqu'à la baie des Chaleurs?»

Réponse affirmative de Jos Pichette qui subit ainsi son examen de mécanicien. Comme quoi c'est en forgeant qu'on devient forgeron... ou qu'on cesse de l'être pour devenir mécanicien de locomotive! Quant à Albert Fallu, il lui servit d'adjoint!

Cependant, cette carrière ne lui souriait pas et il passa au service de la compagnie Singer sur l'invitation de Monsieur Nil Asselin, directeur de la société pour le Québec, qui cherchait un agent pour la Gaspésie. C'est ainsi que la famille déménagea à Campbellton, au Nouveau-Brunswick, en 1908, parce que le bureau de la société y était établi.

Monsieur Pichette se trouvait à la tête d'un immense territoire desservi par des sous-agents et qui englobait toute la Gaspésie, Campbellton et ses environs ainsi que la Péninsule acadienne. En 1914, il deviendra surintendant de la compagnie Singer pour le Nouveau-Brunswick, l'Île-du-Prince-Édouard et les îles de la Madeleine. En 1919, à la suite du décès du surintendant pour le Québec de la célèbre compagnie de machines à coudre, le directeur général, M. Asselin, lui offrit la succession à l'exception de Montréal, mais on souhaitait qu'il y déménageât.

Il refusa. On lui accorda quand même la promotion en y ajoutant le bureau de Campbellton. Racontant l'épisode, Mgr Pichette disait : «Ça lui permettait d'être chez nous plus souvent, mais ça lui faisait un immense territoire. À ce moment-là, l'automobile n'était pas aussi fréquente ni aussi populaire qu'aujourd'hui. Il voyageait par le train. Heureusement, Campbellton était sur la ligne centrale, ce qui lui permettait de venir chez nous toutes les deux ou trois semaines. Quand il prit sa retraite [1938], le territoire a été divisé en trois; on a nommé trois surintendants pour faire l'ouvrage d'un[21].»

---

21. Entrevue radiophonique de Mgr N. Pichette avec M. Jean Rousselle, CJEM, Edmundston, N.-B., le 1er octobre 1988. Dorénavant, cette entrevue sera citée sous le titre Entrevue Rousselle/ CJEM.

Fondée en 1773 par des soldats écossais licenciés originaires d'Aberdeen et venus dans la région de Restigouche, Campbellton avait accueilli des Acadiens fuyant la dispersion dès 1757. Non loin se déroula, du 23 juin au 8 juillet 1760, la dernière bataille navale entre la France et l'Angleterre pour le contrôle du Canada. On y voit encore les épaves d'un navire français, le *Marquis de Malauze*. Il y eut, du côté du Québec, une mission pour les amérindiens Micmacs dès 1621.

C'était une petite ville dont la prospérité était fondée d'abord sur l'industrie forestière puis après 1876, avec l'arrivée d'une route du chemin de fer transcontinental, elle était devenue un important centre ferroviaire, porte d'entrée entre le Québec et l'ancienne Acadie[22]. La paroisse catholique, placée sous le vocable combien évocateur de Notre-Dame-des-Neiges, d'abord mission, fut érigée canoniquement en 1883.

En 1889, Campbellton était promue au rang de ville, mais le 11 juillet 1910, la ville était anéantie totalement par l'un de ces incendies si fréquents à l'époque et dont le souvenir ne s'estompe pas complètement. Combien de fois le récit de cette catastrophe n'a-t-il pas été raconté dans la famille[23]? Il n'y eut heureusement aucune perte de vie mais tout était à recommencer.

L'année suivante, M. Pichette, qui avait tout perdu, revint à Campbellton qui, comme un phénix, renaissait de ses cendres. Il s'y construisit une vaste maison sur la rue Sugarloaf, au pied du mont du même nom. C'est au pied de cette montagne qui domine la ville que 750 Acadiens du bassin des Mines et de l'île Saint-Jean (actuelle Île-du-Prince-Édouard) passèrent l'hiver de 1757 avant de tenter de s'établir de l'autre côté de la baie des Chaleurs.

---

22. P.J. Emery LeBlanc, «Coup d'œil sur la vie des francophones à Campbellton (Historique de la paroisse Notre-Dame-des-Neiges)», *100e anniversaire de la Paroisse Notre-Dame-des-Neiges*, cahier spécial de *L'Aviron*, Campbellton, N.-B., 3 août 1983.
23. John T. Reid, *A History of Campbellton*, Campbellton, Tribune Publishers Ltd., avril 1971.

Après le sinistre, Campbellton comptait presque quatre mille habitants.

Actif dans sa paroisse et dans l'Ordre des forestiers catholiques, M. Pichette le fut également dans le domaine politique. Dans sa notice nécrologique en 1944, *L'Évangéline* écrivait : «[...] il était reconnu comme étant conservateur et son nom fut à différentes reprises mentionné comme candidat possible lors des élections fédérales et provinciales[24]».

Il prit aussi un vif intérêt aux affaires municipales, devenant en 1915, le premier échevin francophone de Campbellton. Élire un francophone à l'époque n'était pas une mince affaire car la ville était dominée par les anglophones. Racisme et sectarisme religieux allaient de pair.

Il faudra attendre 1941 avant que catholiques francophones et irlandais conjuguent leurs forces pour faire élire un premier maire francophone donc catholique, M. Ernest Renaud. Dans le contexte social de l'époque si, pour les francophones, la langue était la gardienne de la foi, le même argument ne tenait pas pour les catholiques irlandais. Ce sera longtemps source de division au Nouveau-Brunswick mais, à Campbellton tout au moins, les deux groupes finirent par se mettre d'accord en une cause commune.

Pour arriver à ce résultat, il avait fallu à l'instigation de l'abbé Albert Poirier (1888-1952), curé de la paroisse Notre-Dame-des-Neiges de 1941 à 1952 et condisciple de Mgr Pichette au séminaire d'Halifax, organiser un comité de notables dont faisait partie M. Eugène Pichette, oncle de Mgr Pichette. Ce comité avait créé un fonds spécial pour payer les arrérages d'impôts foncier, la célèbre «poll tax», car les résidents qui ne l'avaient pas acquittée étaient automatiquement privés de leur droit de vote.

---

24. Madame Pichette, elle, ne jurait que par sir Wilfrid Laurier! Leur neveu, l'honorable Roger Pichette, D.F.M., fils d'Eugène, frère de Joseph-Octave, sera député de Campbellton à l'Assemblée législative du Nouveau-Brunswick de 1952 à 1960, et ministre de l'Industrie et du Commerce dans le cabinet conservateur du premier ministre Hugh John Flemming.

Vue de la rue principale de Campbellton, N.-B., après le sinistre du 11 juillet 1910. Carte postale de l'époque.

Comme par hasard, c'étaient surtout les francophones et les Irlandais qui, assez souvent au bas de l'échelle sociale, ne pouvaient acquitter cette taxe et, par le fait même, étaient privés de leurs droits civiques.

L'élection du maire Renaud eut l'effet d'une bombe sur tout ce que Campbellton comptait de sectaires ennemis des papistes! Mgr Pichette, élevé dans la tradition nationaliste, se souvenait des commentaires alarmistes des dépités. On disait : «Le pape va venir à Campbellton. On va avoir la visite du pape, ça ne tardera pas!» Un autre disait à qui voulait l'entendre : «Je pense que je vais quitter Campbellton parce que les Français vont nous mener par le bout du nez.» Il n'y eut ni visite papale ni exode des protestants anglophones!

On ne s'arrêta pas en si bon chemin. Après la municipalité, ce fut au tour de la commission scolaire où les catholiques, irlandais et francophones, n'avaient jamais eu droit de cité. L'éducation sous toutes ses formes sera toujours au cœur des

Résidence de M. Joseph-Octave Pichette, au 47, rue Sugarloaf, à Campbellton, N.-B., construite en 1911 par M. Charles Bernier, de Carleton, Qc.

préoccupations de Mgr Pichette comme nous le verrons tout au long de cet ouvrage. Aussi l'anecdote suivante trouve-t-elle sa place ici.

Un jour, se trouvant à Campbellton, le jeune abbé Pichette, au volant de sa voiture, voit Me Gregory Feeney, avocat irlandais bien en vue, se rendre déjeuner à pied chez lui. L'abbé lui offre de monter et, en cours de route, espérant convaincre un influent notable de la nécessité pour les Irlandais et pour les francophones de faire front commun, il lui dit : «Voyez-vous, à Campbellton, les Irlandais et les Français ne s'accordent pas. Ce n'est pas une question d'être irlandais ou français. C'est d'être catholiques. Les protestants se tiennent entre eux. Ils se tiennent quand il est question de pouvoir. Comprenez bien ceci; vous jouissez d'un grand prestige sur les autres ici.»

La leçon porta. Me Feeney mit son prestige au service de la cause commune. Nouvel ahurissement dans le camp adverse. Irlandais et francophones s'unirent enfin avec comme résultat l'élection d'une commission scolaire majoritairement catholique. C'est ainsi que, petit à petit, avec acharnement, furent conquis des droits que l'on tient pour acquis aujourd'hui.

Le milieu, certes, est formateur autant que les personnalités, et c'est dans ce milieu où chaque droit devait être conquis de haute lutte et chaque gain défendu d'arrache-pied que grandit la famille Pichette. C'est pourquoi l'unité d'action, la lutte pour les droits et l'éducation seront des thèmes majeurs et constants dans la vie de Numa Pichette.

Chapitre 2

Enfance et éducation

Joseph-Octave Pichette et Marguerie Fallu eurent onze enfants dont six survécurent, deux filles et quatre garçons. L'aînée, Marguerite-Mai (1899-1952), née à Nouvelle, entra en religion chez les Filles de Jésus, à Trois-Rivières, Québec, où elle fit sa profession religieuse sous le nom de Sœur Marie-Sainte-Olympe, le premier août 1919. Excellente musicienne, elle fut enseignante toute sa vie en Angleterre, au Cap-Breton et au Québec. Son influence sur son frère Numa fut considérable.

On s'est souvent demandé dans la famille si on trouvait une sainte portant réellement ce nom, d'autant plus que le prénom Numa était assez inusité. Il y eut bel et bien une sainte Olympe – ou plutôt Olympias – née à Constantinople vers 366, de la meilleure noblesse byzantine, et morte en Turquie vers 408. Épouse de Nébridius, préfet de Constantinople, elle devint diaconesse après la mort de celui-ci et fut la fille spirituelle de saint Jean Chrysostome, patriarche de Constantinople. Elle fut persécutée par l'impératrice Eudoxie et mourut en exil[1]. Il convient d'ajouter qu'à l'époque, les novices recueillaient les noms des religieuses décédées. Celui-ci ne fut pas le choix personnel de Marguerite-Mai Pichette!

Lionel (1901-1975) naquit à Nouvelle et fit sa médecine à l'Université Laval puis dans les hôpitaux de Paris avant de pra-

1. Omer Englebert, *La fleur des saints 1 910 prénoms et leur histoire*, Paris, Albin Michel, (1re édition 1946), 1984, p. 409-410.

tiquer sa profession à Hull, au Québec, où il fut longtemps médecin en chef de l'Hôpital du Sacré-Cœur.

Albert (1909-1986), né à Campbellton et diplômé en droit de l'Université Dalhousie, à Halifax, fut avocat à Edmundston puis juge à la Cour du Banc de la Reine du Nouveau-Brunswick.

Louis-Philippe (1911-1987) fit ses études médicales à l'Université Laval et se spécialisa aux États-Unis en opthalmo-oto-rhino-laryngologie avant de s'établir à Edmundston.

Corinne, dernière survivante de la famille, est née à Campbellton où elle réside. Elle étudia au couvent de Dalhousie puis chez les Ursulines de Québec avant de suivre un cours d'infirmière à l'hôpital Saint-François-d'Assise, à Québec, puis

La famille Pichette en 1944. De gauche à droite, assis : M. Joseph-Octave Pichette, Sr Marie-Sainte-Olympe, f.j. (Marguerite-Mai), l'abbé Numa Pichette, Robert Pichette, Mme J.-O. Pichette (Marguerite Fallu). Debout, de gauche à droite : Dr Lionel Pichette, Mme Lionel Pichette (May Kipp), Dr Louis-Philippe Pichette, Mlle Corinne Pichette, Mme J.-Albert Pichette (Liliane Lévesque), Me J.-Albert Pichette. (Photo : Studio Laporte, Edmundston)

un cours d'infirmière-hygiéniste à l'Université de Montréal. Elle fut la première infirmière-hygiéniste du comté de Madawaka, au Nouveau-Brunswick.

Numa, troisième enfant et deuxième fils, naquit à Nouvelle le 17 avril 1906. Il fut baptisé le 19. Mgr Pichette a toujours cru que le prénom inusité qu'il portait et qu'un cousin a porté dans la famille après lui, sans compter les enfants de plusieurs de ses paroissiens, lui avait été donné en l'honneur de son parrain, M. Numa Bernatchez, un marchand originaire de Montmagny, au Québec, et établi à Campbellton. Or ce monsieur était un ami très proche de monsieur et de madame Pichette, mais il ne fut pas le parrain du futur prélat. Les registres paroissiaux indiquent que son parrain était Pierre Cyr, élevé par Joseph Rousseau, et la marraine, Marie-Anne Philippe[2].

Numa Pompilius fut le deuxième roi de Rome. Pieux, il aurait créé le collège des pontifes dans la Rome antique et d'autres collèges de prêtres et de prêtresses comme les flamines, les augures et les vestales. Ne cherchons pas dans ce prénom décidément païen, car il n'y a pas de saint Numa, le symbole de la future carrière du prélat! Notons en passant que le père du poète Stéphane Mallarmé se prénommait Numa.

Faire instruire une famille au grand complet et qui plus est, donner à chacun, garçons et filles, une formation professionnelle, exigeait une volonté de fer, un travail acharné tant des parents que des enfants, et des qualités de gestion du patrimoine peu communes. Au chapitre de l'éducation, monsieur et madame Pichette avaient des idées bien arrêtées. Si madame Pichette, femme forte, avait une éducation supérieure à son mari, celui-ci n'était allé à l'école primaire que pendant deux ans. Mais il avait la bosse des affaires et, de surcroît, il était doté d'un gros bon sens.

Dans une entrevue radiophonique, Mgr Pichette a laissé de son père le témoignage suivant :

---

2. Registres paroissiaux de Saint-Jean-l'Évangéliste (Nouvelle, Qc).

«Notre père a toujours encouragé l'éducation : "Je vendrais ma chemise s'il le faut pour vous faire instruire! Moi, je voyage beaucoup; je ne suis pas instruit mais je m'en aperçois." Mon père était un homme qui n'était jamais gêné. Il rencontrait l'évêque, il rencontrait qui il voulait; il jasait un peu, il se renseignait par lui-même[3].»

À son décès en 1944, *L'Ordre Social*, de Moncton, écrivait que le défunt «était un fervent chrétien et comprenait bien les avantages de l'éducation puisqu'il donna une éducation professionnelle à chacun de ses enfants[4]».

Quant à *L'Évangéline*, après avoir noté qu'il avait obtenu des résultats jamais connus auparavant durant ses dix-neuf années au service de la compagnie Singer, elle le décrivait comme toujours «ponctuel, d'un tact et d'un jugement rares, travailleur tenace et ardent, Monsieur Pichette était doué, en outre, des plus belles qualités de cœur et d'esprit qui lui suscitèrent de nombreuses et précieuses amitiés».

C'était un tendre sous des dehors sévères et s'il fut le pater familias classique, madame Pichette, elle, n'en était pas moins l'âme de la famille et elle le resta jusqu'à sa mort[5]. La famille était unie et recevait beaucoup de visite, surtout à Noël. «[...] Des amis de la famille, de la parenté, des gens qui pouvaient venir. À cette époque-là, l'automobile n'était pas aussi populaire qu'aujourd'hui; le chemin n'était pas ouvert l'hiver. On était nécessairement forcé de rester chez soi», se remémorait Mgr Pichette.

Les premières études de Mgr Pichette se firent à partir de 1912 à l'école de Campbellton dirigée par les Hospitalières de Saint-Joseph qui dirigeaient également un hôpital. Il y fut pendant trois ans jusqu'au moment où un incendie détruisit l'hôpital et

---

3. Entrevue Rousselle, CJEM.
4. *L'Ordre Social*, vol. VII, n° 26, Moncton, N.-B., 8 février 1944.
5. M. J.-O. Pichette, après avoir pris sa retraite à Edmundston, décéda le 1er février 1944 à l'hôpital de Saint-Basile. Il fut inhumé à Campbellton le 4 février suivant. Madame Pichette décéda à Edmundston le 21 décembre 1957 et fut inhumée à Campbellton.

l'école en 1919. Les religieuses décidèrent de reconstruire l'hôpital mais de ne pas s'occuper d'éducation. Les Hospitalières s'étaient établies à Campbellton le 22 septembre 1888 à la demande du curé J. L. McDonald et de l'évêque de Chatham, Mgr James Rogers. Il n'y avait qu'une école anglaise à l'époque dans la petite ville. C'est dire que les catholiques anglophones et francophones étaient sérieusement défavorisés[6].

Ces admirables religieuses, établies au Nouveau-Brunswick depuis 1868 alors qu'elles prirent la direction du lazaret de Tracadie[7], avaient accepté le double mandat de Campbellton avec une restriction importante. Elles comptaient abandonner l'instruction pour se consacrer uniquement aux soins hospitaliers dès qu'une autre communauté enseignante pourrait les remplacer.

Or, les religieuses Filles de Jésus, congrégation française établie au Canada depuis 1902 seulement à la suite de l'adoption en France d'une loi interdisant aux communautés religieuses d'enseigner, avaient fondé un établissement scolaire à Dalhousie, petite ville industrielle non loin de Campbellton, en 1903[8]. Leur double vocation d'hospitalières et d'enseignantes leur permit d'ouvrir hôpitaux et écoles au Québec et dans les provinces Maritimes où leur arrivée fut providentielle. À tort ou à raison, elles ont souvent été accusées d'être des éléments anglicisateurs, du moins au début. Mgr Pichette partageait un peu cette opinion tout en ayant le plus grand respect pour leurs œuvres. «Les Filles de Jésus, disait-il, étaient plutôt anglicisées, plus que les autres, et les sœurs, les Françaises, parlaient en anglais entre elles. Souvent! Ah! oui, du français, on n'en avait pas tellement à Dalhousie. Il y aurait une étude à faire là-dessus, vous savez[9].»

---

6. P.J. Emery LeBlanc, *op. cit.*
7. Sur l'histoire des premiers établissements des Hospitalières de Saint-Joseph en Acadie (et ailleurs), lire Antoine Bernard, *Les Hospitalières de Saint-Joseph et leur œuvre en Acadie*, Hospitalières de Saint-Joseph, Vallée-Lourdes, N.-B., 1958.
8. Alice Trottier, f.j., Juliette Fournier, f.j., *Les Filles de Jésus en Amérique*, Charlesbourg, Qc, Imprimerie Le Renouveau Inc., 1986, p. 263-267.
9. Entretien N. Pichette/R. Pichette, le 3 septembre 1990.

Tous les enfants de la famille Pichette furent pensionnaires à l'Académie de Dalhousie.

Mgr Pichette avait gardé une très grande reconnaissance aux Hospitalières de Saint-Joseph. Il citait des noms : sœur Audet, sœur LeBlanc et sœur Harquail. Appelé à remplacer l'évêque d'Edmundston, Mgr Roméo Gagnon, lors de la bénédiction de l'hôpital de Saint-Quentin, N.-B., en octobre 1963, il rendit à ses anciennes institutrices le bel hommage suivant :

> Leur éloge n'est plus à faire; il est sur les lèvres et dans les cœurs de ceux et celles qui les ont connues pour les aimer et qui ont bénéficié largement de leurs prières, de leurs sacrifices et de leurs soins maternels. Ces épouses du Christ qui ont consacré une vie prometteuse à soulager la misère des autres en oubliant la leur, qui se sont privées presque du nécessaire de la vie pour distribuer aux corps, aux intelligences et aux âmes les largesses de la charité divine, ont fait une œuvre majestueuse et divine, une preuve qui, si elle nous laisse perplexes, tant les plans de Dieu sont insondables, réclame notre admiration et notre reconnaissance. [...] Oui, Hospitalières, vos mérites sont grands, et vous avez droit à notre reconnaissance, à notre amour ainsi qu'à notre indéfectible attachement[10].

Et le vicaire général se posait une question «nationale» au sujet de toutes les communautés religieuses. Il y répondait d'ailleurs :

> Notre population apprécie-t-elle ces œuvres de miséricorde que l'Église fonde par l'entremise de ces communautés à qui elle a donné mission de la représenter au milieu de nous? Nous sommes tellement gagnés par l'égoïsme et le matérialisme que nous ne savons plus apprécier les vraies valeurs. Refaisons l'histoire de notre peuple et nous conviendrons, si nous sommes pour la vérité, que les plus belles pages de cette histoire sont écrites par le dévouement, voire l'héroïsme, de toutes nos communautés religieuses. Gloire leur soit rendu[11].

On l'a vu, la vie en français à Campbellton n'était pas facile. Elle pouvait même être dangereuse pour un garçonnet fran-

10. Archives de l'auteur.
11. *Idem.*

Photographie prise à Campbellton le 2 septembre 1924. Numa Pichette à droite. L'autre pugilliste n'est pas identifié.

cophone comme en témoigne Mgr Pichette : «À ce moment-là [1912], la rue Arran, qui communique directement de chez nous à l'hôpital, n'existait pas; il n'y avait que des champs. Alors il fallait faire un grand détour et passer par ce qu'on appelait la "Grammar School", l'école secondaire anglaise. Les Français n'osaient jamais passer par là, ah non! On nous criait à la corneille quand on passait de loin. On sautait les clôtures pour ne pas passer là et, étant donné que papa voyageait, j'étais obligé d'y aller à pied, moi. Je m'apportais un petit goûter puis les sœurs nous vendaient une tasse de thé une cent la tasse[12].»

Lorsque son père était à Campbellton, c'est lui qui le conduisait à l'école mais en son absence, très fréquente en raison de son travail, l'écolier devait faire une marche quotidienne de cinq kilomètres pour éviter les quolibets en provenance de la «Grammar School». Pour se reposer en route, il s'arrêtait au bureau de la compagnie Singer.

---

12. Entretien N. Pichette/R. Pichette, le 3 septembre 1990.

Ce n'est qu'en 1922 que les Filles de Marie-de-l'Assomption furent fondées à Campbellton avec mission d'éducation, et l'on verra en son temps l'estime que Mgr Pichette a toujours portée à cette communauté.

Bourreau de travail toute sa vie, comme ses frères et sœurs d'ailleurs, Mgr Pichette avait fait, jeune, l'apprentissage du travail. C'est ainsi qu'en 1918, il travailla à l'excavation du sous-sol de l'église de Notre-Dame-des-Neiges qui servit longtemps d'église paroissiale, le temple actuel n'ayant été terminé et ouvert au culte qu'en 1951!

L'abbé Edward P. Wallace, curé de 1894 à 1919, avait fait dresser aux États-Unis les plans de l'église projetée. Décrit comme un homme affable mais négligent et peu porté à l'administration, il dut faire face à une révolte des paroissiens qui demandèrent à l'évêque de le rappeler l'année même où il entreprenait les travaux. Selon Mgr Pichette :

> Le père Wallace n'était pas un homme pour s'occuper de la construction d'une église parce que, au point de vue financier, il n'était pas très fort. Il a commencé à faire les fondations de l'église en 1918 et j'ai travaillé sur le chantier. J'avais douze ans. Tout l'été, je conduisais le cheval que papa avait acheté. Je partais de chez nous à six heures du matin avec du foin et de l'avoine pour le cheval et un petit goûter pour moi le midi.
>
> J'arrivais chez moi le soir à 18 h 30. Il fallait que je fasse boire le cheval et une fois que je m'étais décrotté un peu et soupé, j'allais lui donner à manger; ensuite il fallait l'étrier et nettoyer l'étable. Après, il était temps de me coucher pour me lever le lendemain à 5 h 30, soigner le cheval et recommencer. J'ai fait cela tout l'été[13].

Mécontents de n'avoir qu'un sous-sol au lieu d'une église, les paroissiens adressèrent une pétition à l'évêque de Chatham, Mgr Thomas Barry, qui remplaça l'abbé Wallace par l'abbé Louis-Joseph-Arthur Melanson, futur évêque de Gravelbourg et premier archevêque de Moncton. L'influence exercée par ce prêtre hors du commun sur Numa Pichette sera déterminante

13. *Ibid.*

et durable. C'est lui, à n'en pas douter, qui lui servit de modèle et il lui garda toute sa vie une profonde admiration[14].

Lorsqu'il prit part à la dédicace d'une plaque commémorative à la mémoire de Mgr Melanson pour marquer le 50e anniversaire de la fondation des Filles de Marie-de-l'Assomption, le 15 août 1972 à Campbellton, Mgr Pichette déclara : «Je veux que cet hommage posthume soit celui d'un prêtre qui a joui de l'amitié de Mgr Melanson, qui l'a vu à l'œuvre, qui l'a admiré, qui a reçu de lui de précieux conseils et qui veut lui rendre un tribut de reconnaissance pour tout le bien qu'il a fait[15].»

Dommage que Mgr Pichette, qui n'aimait pas la paperasse, orienté qu'il était vers l'action, n'ait pas conservé la correspondance que lui adressait son ancien curé. Par contre, Mgr Melanson, lui, avait soigneusement gardé la correspondance qui lui était adressée. Déposées aux archives générales des Filles de Marie-de-l'Assomption, à la surprise même de Mgr Pichette, ces lettres ont été fort utiles pour la rédaction de ce livre.

Si les paroissiens de Campbellton s'attendaient à ce que le nouveau curé termine la construction de l'église, ils durent déchanter vite car le curé Melanson avait d'autres priorités, notamment la reconstruction de l'hôpital et de l'école qui avaient été la proie des flammes en novembre 1919. Mgr Pichette raconte :

> Il convoqua une assemblée paroissiale et – c'est papa qui m'a conté ça car papa y était – il a demandé une souscription. Mais les gens étaient un peu sur le qui-vive. Qu'est-ce qui va arriver? Il leur a dit : «Les plans élaborés par le curé Wallace pour la construction de l'église, je mets cela de côté parce que nous n'aurons pas les moyens de bâtir l'église, mais on va essayer de faire un sous-sol dans lequel il faudra demeurer quelques années[16].» Toujours est-il que les gens ont souscrit une cinquantaine de mille dollars, ce

14. Pour une biographie du prélat, lire Sœur Berthe Plourde, *Mgr L.-J.- Arthur Melanson 1879-1941*, Montréal, Les Éditions Bellarmin, 1985, 515 p.
15. Archives générales des Filles de Marie-de-l'Assomption (dorénavant AGFMA) BC 529.H67J 105.
16. Ils y resteront 32 ans, de 1919 à 1951!

> qui était beaucoup à l'époque comparé à ce que l'argent vaut aujourd'hui [...] Je le sais d'expérience parce que j'ai vécu ça, moi, durant les premières années de mon arrivée ici.
>
> Alors ils ont construit le sous-sol de l'église. Puis il fallait construire l'hôpital et l'Académie, c'est-à-dire l'école, mais laquelle faire en premier? Un édifice avait été loué près de la gare du chemin de fer de Campbellton, là où se trouve Litwin si ma mémoire est bonne, pour y abriter l'hôpital temporaire.
>
> Ce sont les Anglais qui ont fait le choix pour lui lorsqu'ils ont décidé de construire un hôpital qui existe encore aujourd'hui, le Soldiers Memorial Hospital. Il faut reconstruire l'hôpital d'abord. C'est ce que les Hospitalières [de Saint-Joseph] ont fait sur le site du vieil hôpital incendié[17].

Le nouveau curé de Campbellton menait les choses rondement. Il voyait grand aussi. Pour pallier l'absence d'une école catholique où les francophones seraient chez eux, il ne se contenta pas de fonder l'Académie. Il fonda, en 1922, une communauté de religieuses enseignantes, la première de ce type en Acadie : les Filles de Marie-de-l'Assomption.

Mgr Pichette décrivait Mgr Melanson comme un homme de peu de santé, très nerveux, très actif et très intelligent, un bourreau de travail. Excellent écrivain, fasciné par la colonisation, il écrivait vite et bien sur de nombreux sujets.

> Je l'ai vu le matin après le déjeuner, disait Mgr Pichette sur la fin de sa vie, on avait causé ensemble. Il me disait :
>
> – Avant de t'en aller attends un moment, j'ai une lettre à poster. Il faut que j'écrive un article pour *L'Évangéline*.
>
> Puis il s'en allait dans son bureau et il écrivait à la plume. En trois quarts d'heure, il avait écrit un article assez élaboré et plein de bon sens[18].

Rappelant la mort de cet homme extraordinaire à tout point de vue qui l'honorait de son amitié et qu'il estimait comme un père[19], Mgr Pichette, qui était présent au moment de la mort de

17. Entretien N. Pichette/R. Pichette, 3 septembre 1990.
18. Entretien N. Pichette/R. Pichette, 3 septembre 1990.
19. Lettre de Mgr N. Pichette à la Révérende Mère Marie-de-Lourdes (Andrina Dubé), supérieure générale des Filles de Marie-de-l'Assomption, Edmundston, le 16 mars 1963.

l'archevêque de Moncton le 23 octobre 1941, disait en 1972, à l'occasion du cinquantième anniversaire de la fondation des Filles de Marie-de-l'Assomption :

> Sa vie, il l'avait donnée au bon Dieu et il ne s'est jamais repris. Sa mort a été l'écho de cette vie humble et sainte. J'ai eu le bonheur de recevoir sa dernière bénédiction et de recueillir son dernier soupir; et ceux qui, comme moi, assistaient tout émus à ce passage de la vie matérielle à la vie éternelle de ce prêtre, avaient la claire vision d'assister à la mort d'un saint[20].

Ce fut lui qui prononça l'éloge funèbre en l'église Notre-Dame-des-Neiges le samedi 25 octobre 1941. En évoquant la fondation des Filles de Marie-de-l'Assomption, qui fut l'une des grandes et essentielles réalisations de Mgr Melanson, il dira :

> Lui, si aimant de la jeunesse, ne pouvait se désintéresser de l'éducation de l'enfance. Constatant la situation vraiment désastreuse où se trouvait la jeunesse de cette ville par rapport à l'éducation religieuse, Monseigneur Melanson construisit l'Académie. Dans l'impossibilité de trouver des religieuses pour prendre la direction de cette école, il fonda avec l'approbation et l'aide de son évêque «Les Filles de Marie-de-l'Assomption» [...] Voilà, il me semble, l'œuvre principale de Son Excellence Monseigneur Melanson[21].

Lors du 25e anniversaire de la mort de cet authentique patriote, Mgr Pichette avait tenu à rappeler à une nouvelle génération, de peur qu'on ne l'oublie, les qualités du prélat. Dans l'hebdomadaire *Le Madawaska*, d'Edmundston, Mgr Pichette écrivait :

> Mgr Melanson a été une de ces chevilles ouvrières qui ralliaient les bonnes volontés, dressaient les plans et combattaient vaillamment sur la ligne de feu. Si notre situa-

20. Discours de Mgr N. Pichette à la maison-mère des Filles de Marie-de-l'Assomption, Campbellton, le 15 août 1972. AGFMA, BC 529.H67J 105. Assistaient le prélat dans son agonie, outre le docteur Georges Dumont, des religieuses hospitalières de Saint-Joseph et des Filles de Marie-de-l'Assomption, les abbés Albert Poirier et Lucien Saindon, vicaires à Campbellton, et le père Joseph Calasanz, OFM, cap., missionnaire à Sainte-Anne-de-Restigouche. Cf. Bertha Plourde, *op cit.*, p. 468.
21. Reproduit dans *Le Madawaska*, octobre 1941, p. 3 3t 6, AGFMA BC 866.M52R 29.

> tion, à tout point de vue, est meilleure qu'elle l'était il y a 25 ans et plus, nous le devons à ces héros obscurs et, malheureusement, souvent oubliés. Les jeunes auraient grand profit à méditer leurs gestes : ils constateraient que les anciens étaient eux aussi «dans le vent», mais qu'ils se laissaient guider par une foi vivante et un patriotisme éclairé[22].

La vie de Mgr Pichette montrera à quelle école de vie et de foi il était allé car il fut, lui aussi, comme son mentor, une cheville ouvrière, un rassembleur qui savait rallier les bonnes volontés dans l'enthousiasme, dresser des plans et monter à l'attaque chaque fois qu'un principe était en jeu et, certes, toute sa vie il se laissera guider par la foi et le patriotisme. Pour Numa Pichette, l'une complémentait nécessairement l'autre.

En 1920, c'est vers le collège Sainte-Anne, à Pointe-de-l'Église, en Nouvelle-Écosse, l'une des plus vénérables institutions acadiennes, qu'il se dirigea, à la suite de son frère, Lionel, pour y poursuivre ses études classiques[23]. Le collège, devenu depuis université, avait été fondé en 1890 par les Pères de la Congrégation de Jésus et de Marie, communément appelés Eudistes, forcés de quitter la France dans les mêmes circonstances que les Filles de Jésus, c'est-à-dire par l'anticléricalisme de la IIIe République[24]. L'institution reçut sa charte le 30 avril 1892.

Il y a loin de Campbellton à la baie Sainte-Marie, en Nouvelle-Écosse, et Pointe-de-l'Église est toujours au bout du monde! De Campbellton, on se rendait en train jusqu'à Saint-Jean, N.-B., pour y prendre le traversier en ayant soin de retenir une cabine pour y dormir. À Digby, N.-É., il fallait de nouveau prendre le train sur une distance de trente milles pour

---

22. Mgr N. Pichette, «À la vénérée mémoire de Son Excellence Mgr Arthur Melanson», *Le Madawaska*, 20 octobre 1966, AGFMA BC 866.M52R 15.
23. Ses frères, Albert et Louis-Philippe, étudieront aussi pendant quelques années à Pointe-de-l'Église, mais termineront leurs études classiques à l'Université Saint-Joseph, à Memramcook, au Nouveau-Brunswick. L'Université Sainte-Anne conférera, en 1964, un doctorat honoris causa à l'honorable J.-Albert Pichette, devenu juge à la Cour du Banc de la Reine du Nouveau-Brunswick en 1963.
24. René Rémond, *L'anticléricalisme en France de 1815 à nos jours*, Paris, Fayard, 1976.

Le collège Sainte-Anne, à Pointe-de-l'Église, N.-É., tel qu'il était alors que Lionel, Numa, Albert et Louis-Philippe Pichette y étaient inscrits comme étudiants.

se rendre à la gare de Pointe-de-l'Église située à quelques milles du village. Mgr Pichette se rappelait que lui et son frère Lionel avaient dû, un jour, porter leur jeune frère, Louis-Philippe, qui n'eut jamais une forte santé, sur leurs épaules de la gare au collège!

Mgr Pichette se remémorait qu'à ce moment-là «la pension était de 180 $ par année. Si nous étions deux, elle baissait à 165 $ et, pour trois, à 150 $. Ça coûtait à peu près cinquante cents par jour pour l'éducation, la nourriture, la chambre – non pas de chambre, c'étaient des dortoirs – puis blanchis par-dessus le marché. Cinquante cents par jour[25]!»

La discipline était rigoureuse, la vie spartiate. «Je suis passé par un collège, dira-t-il, où aucun élève ne voudrait aller aujourd'hui. On n'avait pas d'eau courante au collège; les toilettes étaient dehors l'hiver comme l'été[26].» Au collège, il

25. Entretien N. Pichette/R. Pichette, le 3 septembre 1990.
26. Entrevue Rousselle/CJEM, et lettre de N. Pichette à l'auteur, 1er décembre 1990.

s'adapta sans difficulté, prenant une part active aux débats – excellente école pour le superbe orateur qu'il fut toute sa vie –, aux pièces de théâtre, bref à toutes les activités par lesquelles les pères s'efforçaient, tant bien que mal, de rendre la vie moins austère.

On aura une idée de la philosophie qui animait les prêtres venus de France en lisant ces lignes du père Ange LeDoré, supérieur général de la congrégation, dans sa préface au livre d'un ancien supérieur du collège, le père Dagnaud : «Que tous les Acadiens, comme leurs frères de la Nouvelle-Écosse, restent catholiques; qu'ils cultivent, qu'ils parlent leur belle langue française et qu'ils sachent ne pas abandonner leurs mœurs traditionnelles : à ces conditions, eux aussi formeront dans leurs provinces une nouvelle France[27].» Il s'agissait de rien moins que de former une élite de chefs, tant laïcs qu'ecclésiastiques.

Tout en cherchant à comprendre le milieu où ces déracinés devaient œuvrer, sans toujours y parvenir du reste, les Eudistes n'en ont pas moins inculqué le goût des valeurs françaises à des générations d'Acadiens. Parmi ces Eudistes, le directeur spirituel de Numa Pichette, le père Marcel Lagrée «prêchait en même temps avec chaleur le patriotisme acadien[28]». Et le père Léopold LaPlante, c.j.m., historien de l'institution, ajoute que, vers 1921 : «Le Père Lagrée est parmi les premiers à parler aussi ouvertement et d'une façon aussi convaincante de patriotisme[29].»

À l'époque, la durée du cours classique était de six ans. Studieux, méthodique, excellent élève, Numa Pichette termina ses études avec grande distinction en 1926, décrochant la médaille

27. Dans Pierre-Marie Dagnaud, *Les Français du sud-ouest de la Nouvelle-Écosse. Le R.P. Jean-Mandé Sigogne, apôtre de la baie Sante-Marie et du cap de Sable. 1799-1844*, Besançon, Librairie Centrale, 1905, p. x.
28. Léopold LaPlante, *Chronique du collège Sainte-Anne. Les pères eudistes au service de l'Église et de la communauté*, Yarmouth, L'Imprimerie Lescarbot Ltée, 1986, p. 10, cité par René LeBlanc et Micheline Laliberté, *Sainte-Anne collège et université 1890-1990*, Chaire d'études en civilisation acadienne de la Nouvelle-Écosse, Université Sainte-Anne, Pointe-de-l'Église, N.-É., 1990, 497 p.
29. LaPlante, *ibid.*, p. 64.

du gouverneur général. Durant les vacances de Noël de 1925, il décida, après réflexion, d'entrer au séminaire. À son retour au collège, il s'en ouvrit au père Lagrée qui, loin d'être surpris, l'encouragea.

Jusque-là, sa sœur Marguerite ne se doutait manifestement pas de son choix, car elle lui écrivait au dos d'une photographie de l'équipe féminine de hockey (sur herbe!) du couvent Saint Joseph, à Abbey Wood, en banlieue de Londres, où elle enseignait : «J'ai de l'ouvrage par-dessus la tête, je te dirai cela plus au long plus tard. Comme tu vois je t'envoie "a group of our best hockey players. They are real champions!..." Laquelle préfères-tu? Y-en-a-t-il une à te tomber dans l'œil? [...] Dis donc ne pourrais-tu pas comme étrenne me laisser entrevoir ce que tu as l'intention de faire[30]?»

Les Eudistes avaient fondé le grand séminaire Saint-Cœur-de-Marie, à Halifax, en 1895, pour la formation du clergé des provinces Maritimes. Le supérieur du séminaire, le père François Tressel, qui avait été professeur à Pointe-de-l'Église, se trouvait précisément au collège le jour où Numa Pichette fit part de sa décision au père Lagrée. «Le père Tressel était un homme sévère, disait Mgr Pichette, un Français de France. Mais c'était un homme à sa place, un chef[31].» Excellent latiniste aussi.

Avec le recul du temps, il disait de son séjour au collège Sainte-Anne et ensuite au séminaire d'Halifax : «On avait de bons professeurs, des prêtres vraiment dévoués, des prêtres à leur place qui nous ont donné le bon exemple[32].»

Agréé par le père Tressel, il fallait ensuite qu'il le fût par son évêque qui était alors Mgr Patrice-Alexandre Chiasson, Eudiste lui-même, ancien supérieur à Sainte-Anne et alors évêque de Chatham. Mais il fallait aussi faire part de sa décision à ses parents. C'est ce qu'il fit par la lettre suivante datée du collège Sainte-Anne, le 20 mai 1926, et qu'il convient de citer en son entier :

---

30. Sr Marie-Sainte-Olympe à Numa Pichette, St. Joseph's Convent, Abbey Wood, Londres, 22 novembre 1925, archives de l'auteur.
31. Entretien N. Pichette/R. Pichette, 3 septembre 1990.
32. *Ibid.*

Bien chers parents :

Je veux aujourd'hui me rendre à la promesse que je vous ai faite il y a quelque temps, de vous faire connaître mes projets d'avenir.

Je suis donc parvenu à cette heure décisive où je dois prendre un état de vie. À la veille de devenir bachelier, à moi comme à d'autres, cette question se pose : que ferais-je? Heure décisive entre toutes, car d'elle seule peut dépendre le bonheur ou le malheur de mon existence et même de mon éternité. C'est pourquoi il est si nécessaire d'y bien réfléchir car une fois lancé dans une carrière il est difficile et parfois impossible de revenir sur ses pas. Ainsi que de vies dévoyées à cause d'une fausse orientation! Arrivés à cette croisée des chemins, il y en a qui se décident à la légère; d'autres troublés craignent de prendre une décision; d'autres enfin se laissent influencer par les appâts du monde : sa gloire, ses plaisirs, ses richesses, et ils courent vers l'avenir sans savoir où ils vont. Aussi sont-ils constamment hantés par le remords de n'être pas là où Dieu les veut.

Je ne voudrais pas qu'il en fût de même pour moi. C'est pourquoi avant de me décider j'ai réfléchi sérieusement tout en consultant Dieu, mon confesseur et moi-même. Eh bien chers parents après avoir agi ainsi j'ai résolu de me donner entièrement à Dieu et d'entrer en septembre au séminaire d'Halifax.

Je sais à l'avance que vous m'approuvez et que c'était là votre plus grand désir. Merci mille fois merci pour le secours de vos ferventes prières. Je vous demande de continuer pour que Dieu me fasse la grâce de persévérer dans mes nobles desseins et de devenir un bon et saint prêtre.

Oh! ce n'est pas sans difficulté que l'on peut boire au calice du Seigneur; ses appels sont parfois austères et cela requiert un grand courage et une volonté faite pour répondre à ses ordres divins. Que voulez-vous! La nature humaine a ses faiblesses et le monde nous présentant ses charmes, nous sommes prêts à succomber lorsque le Maître intervient pour nous relever, pour nous aguerrir pour la lutte. J'aurais pu, et qu'il soit dit que j'y ai même pensé, embrasser une carrière honorable, vivre une vie chrétienne en servant l'Église et la patrie. Mais j'ai tout refusé. J'ai combattu l'appel du monde qui se faisait menaçant et j'ai voué ma vie à Jésus-Christ. D'ailleurs aurais-je trouvé le bonheur en choisissant une vocation à laquelle je n'étais pas appelé? Assurément non, car le bonheur ne se trouve que dans l'ordre.

Sans doute que je rencontrerai des obstacles sur ma route mais coûte que coûte je les surmonterai et j'irai jusqu'au bout.

Deux semaines passées, le P. Tressel, supérieur du séminaire, était ici et j'ai profité de l'occasion pour avoir un entretien avec lui. Il suffit que je me fasse agréer par Mgr Chiasson, ce que je ferai aussitôt arrivé chez nous. Le P. Tressel a été très bon pour moi et il va me faire venir deux soutanes de France : elles me coûteront ainsi moins cher.

Jusqu'ici je suis certain qu'il y aura deux de mes camarades de classe à m'accompagner, dont un pour le diocèse de Chatham. Dimanche j'ai écrit à Marguerite pour sa fête et je lui ai fait connaître ma décision : elle m'avait demandé de lui faire ce cadeau de fête. Vous m'excuserez chers parents si je n'ai pas d'abord dévoilé mon secret à vous; je voulais le faire jeudi dernier mais le manque de temps ne me l'a pas permis. C'est elle qui va être contente! Que de fois elle a exprimé ce désir d'avoir un frère prêtre. Dieu aidant, son vœu sera exaucé.

À la veille de quitter le collège, maintenant que ma vie de collégien agonise, comme je suis content d'avoir entrepris un cours classique et d'avoir persévéré! Mais c'est à vous bien aimés parents que je dois de pouvoir aujourd'hui me choisir un état de vie, c'est à vous que je dois cette instruction chrétienne que j'ai reçue; pour cela je vous dis de grand cœur : merci. Vous avez eu à cœur de nous donner à tous une éducation chrétienne et solide : jusqu'ici Dieu vous a bénis; puisse-t-il déverser sur vous ses célestes faveurs!

Si en ce jour je vous adresse un merci, j'aurai l'occasion de le faire encore dans un avenir prochain car que sont quatre années? Elles passent et elles passent vite.

Je ne tiens pas absolument à ce que vous gardiez ceci secret mais je pense qu'il est préférable qu'il en soit ainsi. Je ne l'ai pas encore révélé. Aussi je vous demande de m'adresser une lettre spéciale dimanche, puis d'écrire une lettre à Albert dans la semaine. Ensuite n'oubliez pas de mettre «personnel» sur l'enveloppe. J'ai obtenu permission d'avoir une correspondance privée avec vous et ce sera le signe qui le fera souvenir au P. Préfet. Maintenant n'oubliez pas.

Comme je vous l'ai annoncé il y a quelque temps, la sortie est fixée au 16 juin; encore quelques semaines et tout sera fini. Comme vous vous en doutez je m'attends à obtenir mon B.A. Vous voudrez bien alors m'inclure 5 $ pour le payer.

En plus, comme je suis finissant, j'ai dessein de passer une journée ici avec d'autres philosophes : nous voulons nous réunir avant de nous séparer. Albert est assez grand pour pouvoir s'en aller avec Louis-Philippe. Lorsque je suis venu avec eux-deux je n'avais que son âge, d'ailleurs il n'y a rien de difficile à s'en aller... Je comprendrais qu'il y en aurait si c'était pour venir! Cela demandera encore quelques piastres mais ce n'est qu'une fois dans la vie qu'une occasion pareille se présente. J'espère que vous vous rendrez à ma demande.

Aurevoir chers parents.

Votre enfant qui vous embrasse tendrement,

Numa[33]

Mgr Pichette a toujours maintenu que les communautés religieuses d'hommes et de femmes ont non seulement maintenu la foi en Acadie, mais qu'elles y ont également avivé et renforcé la francité. Il eut l'occasion de le préciser avec éclat en juillet 1956 en prononçant le sermon de la réunion des anciens élèves du collège Sainte-Anne. Le célébrant, Mgr Norbert Robichaud, était lui aussi un ancien du collège.

Il rendit un vibrant hommage à la mémoire de ses anciens maîtres Eudistes, évoquant leur dévouement et la haute valeur morale «de ces hommes qui, pour nous et les nôtres, ont sacrifié les plus belles et les plus ardentes années de leur vie parce qu'ils avaient compris qu'un peuple sans élite, sans ressource et à la merci d'un vainqueur assimilateur est voué à la défaite, voire à la ruine, s'il n'a pas la seule arme qui puisse assurer sa survie matérielle et spirituelle : l'éducation[34]».

Faisant l'éloge des collèges classiques d'autrefois, qui étaient à la veille de disparaître du reste, Mgr Pichette les qualifiait de «sauveurs», de «phares», qui avaient «donné à l'Église une phalange de prêtres et à la Patrie une élite de laïcs conscients de leurs responsabilités individuelles et sociales [...] en un temps où les ennemis de notre langue et de notre religion se prépa-

33. Archives de l'auteur.

34. *Numéro spécial. Compte rendu de la réunion générale de l'Asssociation des anciens élèves du collège Ste-Anne, les 10 et 11 juillet 1956*, n° 3, collège Ste-Anne, Pointe-de-l'Église, N.-É., août 1956, p. 5-14.

La fanfare du collège Sainte-Anne durant les années 1920. Numa Pichette est dans la dernière rangée, au centre, devant la fenêtre, tenant son cor français.

raient à placer le drap mortuaire sur notre cercueil et à chanter notre requiem».

Une élite a des responsabilités et Mgr Pichette, qui avait absorbé les leçons du patriotisme acadien tel qu'il était compris jadis, de sa famille, de ses maîtres au collège Sainte-Anne et au séminaire d'Halifax, sans compter l'exemple d'un homme aussi engagé que l'avait été Mgr Melanson, en appelait à l'élite de son temps pour qu'elle fasse une prise de conscience de ses «devoirs de chefs, d'élite moderne». Il affirmait :

> Ne sommes-nous pas l'élite de 1956? Ne nous appartient-il pas d'éveiller le passé pour tracer le programme de demain? N'avons-nous pas l'obligation sacrée de faire l'union de toutes nos forces pour la défense du patrimoine reçu, d'orienter l'esprit du peuple pour qu'il prenne conscience de ses droits, d'appuyer sagement mais courageusement les mouvements religieux, nationaux et économiques qui permettront à notre peuple d'occuper une place de choix sur ce coin de terre arrosé des sueurs et des larmes des ancêtres? Si nous avons beaucoup reçu, beaucoup nous sera demandé. Nous récoltons ce que les autres ont semé : les générations futures récolteront ce que nous aurons semé.

Les huit bacheliers de la promotion de 1925-1926 du collège Sainte-Anne. Numa Pichette est au centre, dans la deuxième rangée, derrière le professeur Eudiste non identifié.

Il avait également dit : «Dieu sait si Sainte-Anne a été pour beaucoup dans cet esprit et ce goût du travail qui caractérise la vie de ses anciens. [...] Aujourd'hui, penchés sur nous-mêmes et prêtant l'oreille aux échos du passé, nous pouvons entendre battre le cœur du jeune homme que nous avons laissé ici.»

Formule oratoire quelque peu grandiloquente, certes, et l'époque raffolait de ces sermons et discours de circonstance, mais le jeune homme qui quittait Sainte-Anne, de Pointe-de-l'Église, pour le grand séminaire d'Halifax allait certainement faire profiter ses compatriotes des leçons apprises à la lointaine baie Sainte-Marie.

CHAPITRE 3

JEUNE PRÊTRE

Numa Pichette séminariste n'a pas été dépaysé par le grand séminaire Saint-Cœur-de-Marie d'Halifax, habitué qu'il était à la rigoureuse discipline des pères Eudistes depuis le collège Sainte-Anne. «Je crois que vous aimerez l'atmosphère du séminaire», lui avait dit le recteur, le père Tressel. «On les connaissait au moins de renommée; on connaissait la tradition. On se croyait aux oiseaux, nous autres, au séminaire d'Halifax[1]», disait-il, s'estimant choyé d'avoir une chambre à lui.

Huit professeurs donnaient les cours en latin, sauf l'histoire et le cours d'histoire de l'Église qui était enseigné par un Eudiste irlandais. Mgr Pichette estimait que la formation en latin reçue au collège Sainte-Anne était supérieure à celle des séminaristes d'origines écossaise et irlandaise provenant de l'Université Saint-François-Xavier, d'Antigonish, et même des séminaristes de la région d'Halifax et du collège Saint-Joseph de Memramcook.

Pourtant, malgré son cours classique, il n'avait pas saisi un mot du premier cours d'Écritures Saintes donné par un Français, le père Vignon, dont le latin était classique alors que celui de ses confrères était plutôt de cuisine. «Je me suis habitué au père Vignon, disait-il, et j'ai compris pourquoi il employait soit le datif, soit l'ablatif, de sorte que lorsque je suis arrivé à Rome ça n'a pas été un problème[2].»

---

1. Entrevue Rousselle/CJEM.
2. Entretien N. Pichette/R. Pichette, 3 septembre 1990.

L'abbé Numa Pichette, nouvellement ordonné prêtre. Photo prise chez sa tante, Mme Albert Fallu (Minnie LeCouffe), à New Richmond, en Gaspésie.

Ses études théologiques terminées, l'abbé Pichette fut ordonné prêtre en l'église Notre-Dame-des-Neiges – toujours en sous-sol – le jeudi 19 juin 1930, Fête-Dieu, par Mgr Chiasson, évêque de Chatham. Ce fut une double cérémonie, car l'évêque ordonna en même temps l'abbé Xavier Daigle. Le supérieur du séminaire d'Halifax, le père Sébillet, agissait comme archiprêtre, et les abbés X. Savoie et Vincent Pittman comme diacre et sous-diacre respectivement. Un grand nombre de prêtres assistaient à la cérémonie, parmi lesquels on remarquait Mgr Melanson, protonotaire apostolique, vicaire général du diocèse et curé de Campbellton, ainsi que Mgr John Wheten, prélat domestique et curé de Bathurst. Les abbés J. Doucet, chancelier du diocèse, et Ernest Chiasson, faisaient fonction de cérémoniaires.

Mgr Melanson prononça le sermon dans lequel il «expliqua les cérémonies de la consécration, la signification de l'imposition des mains et de l'Onction de l'Huile Sainte[3]».

Le banquet qui suivit eut lieu à la maison-mère des Filles de Marie-de-l'Assomption au cours duquel «M. l'abbé Pichette remercia Sa Grandeur d'avoir bien voulu venir faire cette ordination dans sa paroisse, Mgr Melanson, son curé, pour les bontés et les égards qu'il lui témoigna pendant ses années de séminaire; ses parents pour tous les sacrifices qu'ils se sont imposés pour le consacrer au service de l'autel[4]».

Le nouvel ordonné, assisté des abbés Pittman et Doiron, donna le soir la bénédiction solennelle du Saint Sacrement. Le lendemain, il célébrait sa première grand-messe assisté de Mgr Melanson et des abbés Pittman et Doiron comme diacre et sous-diacre.

L'abbé Xavier Daigle (1900-1951) était originaire de Saint-Jacques, au Madawaska. Mgr Pichette disait de lui que c'était un colosse, un géant d'une force herculéenne. Après qu'il eut été vicaire à Saint-Léonard et à Tracadie, Mgr Chiasson lui con-

---

3. «Ordination à Campbellton, N.B.», *Annales de Notre-Dame-de-l'Assomption*, 3e année, no 1, juillet 1930, Campbellton, p. 280.
4. *Ibid.*, p. 281.

fia, en pleine crise économique, la paroisse d'Allardville sise dans la forêt non loin de Bathurst. Il y fut de 1935 à 1941 dans des conditions telles qu'il y laissa sa santé.

Tout était à faire dans cette mission. Mgr Pichette, qui lui rendit visite à plusieurs reprises, décrivait le «presbytère» en bois rond, construit par les mains de l'abbé Daigle, dont les interstices étaient bouchés par de la mousse, si bien «qu'on voyait à travers les billots». L'ameublement était plus que sommaire et le froid régnait en maître. Pourtant, il réussit à construire un modeste presbytère et une église avant d'être tiré de là pour devenir curé de Clair, au Madawaska. Sa santé ne résista pas aux dures conditions qu'il avait connues. C'est pourquoi Mgr Pichette appréciait peu les efforts de colonisation de Mgr Auguste Allard, P.D. (1884-1970), curé de Bathurst-Est, qui avait fondé cette mission tout en ayant soin de ne pas y élire domicile!

Durant sa troisième année au séminaire, Mgr Chiasson avait suggéré à l'abbé Pichette qu'il aille poursuivre des études à Rome mais sans plus de précision. Une fois ordonné, le nouveau prêtre demanda à son évêque ce qu'il allait faire de lui. Mgr Chiasson lui répondit : «Dame, dame! j'aimerais t'envoyer à Rome.»

Mais l'évêque de Chatham ne savait ni à quelle université l'envoyer ni quels cours il devrait suivre. L'abbé Pichette avait pensé étudier en théologie, mais le diocèse manquait de canonistes; c'est donc de ce côté qu'il se dirigea, et chez les Jésuites «parce que c'était mieux organisé», disait-il[5].

Le financement posait problème, car l'évêque était économe au point où Mgr Pichette le qualifiait «d'homme le plus "gratteux" que j'ai jamais rencontré [parce que pendant] les trois ans, il ne m'a pas envoyé une offrande de messe, pas une seule piastre ni à Noël ni en aucune occasion[6]». Ce n'était pas rigoureusement vrai car, au moins en 1931, son évêque lui envoya des intentions de messe à l'occasion du Nouvel An; l'abbé Pichette l'écrivait lui-même à Mgr Melanson : «Tous les

5. Entretien N. Pichette/R. Pichette, 7 août 1989.
6. *Ibid.*

évêques ne sont pas comme lui. J'en connais [des confrères] ici à qui leur évêque n'écrit jamais, pas même au jour de l'an[7].»

Mais, avec l'aide de son père et pourvu d'un petit pécule de 250 $ en or, résultat d'offrandes de messe en 1930, il put s'embarquer pour l'Europe. En 1932, il revint au Canada pour ses vacances et put ainsi, en remplaçant un prêtre ici et là, recueillir 100 $ par semaine, ce qui lui permit de retourner à Rome.

Il s'embarqua à Québec pour débarquer à Cherbourg après une traversée sans histoire. Il y avait six prêtres et neuf frères à bord. Avant de se rendre à Rome, il fit du tourisme à Paris, à Versailles et à Lisieux notamment. Il vit des «charmes» à Paris que l'on ne voyait ni à Campbellton, ni à Pointe-de-l'Église, ni surtout au séminaire d'Halifax, comme il l'écrivait pudiquement à Mgr Melanson : «Hier après-midi je suis allé aux Champs Élysées : là on voit *des choses* [son souligné] – des choses n'est-ce pas, comme dirait le bon Père Pierre; de la mode en voulez-vous, en voilà[8]!»

Il est à Rome durant la première semaine de novembre. Il réside au Collège canadien avec trente-trois autres étudiants, mais il est le seul qui soit originaire des provinces Maritimes. Ils sont vingt-huit prêtres étudiants inscrits en droit canonique à l'Université pontificale Angelicum où on leur donne dix-huit heures de cours par semaine. L'abbé Pichette y fera la rencontre d'un prêtre noir de l'Ouganda, l'abbé Joseph Kiwanuka, «qui est gentil et qui parle français, mais qui n'est pas très mignon! Toutefois peut-être l'est-il dans son espèce! Il y a des étudiants "ex omni tribe et lingue et native" comme dirait saint Paul[9].»

---

7. N. Pichette à Mgr Melanson, Rome, 11 janvier 1931, AGFMA, BC 853.M52Z 805.
8. N. Pichette à Mgr Melanson, Paris, 19 octobre 1930, AGFMA, BC 853.M52Z 794.
9. N. Pichette à Mgr Melanson, Rome, 9 novembre 1930, AGFMA, BC 853.M52Z 795.

L'abbé Kiwanuka devint vicaire apostolique de l'Ouganda avec résidence à Masaka, en 1939, puis évêque de Tibica[10]. Les deux se revirent beaucoup plus tard à Edmundston lors d'une visite qu'y fit Mgr Kiwanuka. À l'occasion d'une messe matinale, il avait été présenté aux fidèles de la cathédrale d'Edmundston par Mgr William J. Conway, dans un discours mémorable tout à fait dans son style inénarrable. Ayant oublié le nom du prélat, le curé le présenta comme «Monseigneur Ki..., Ki...., qui ne vous parlera pas bien longtemps là, là, parce qu'il sait que vous devez aller prendre une tasse de thé là, là, avant d'aller à l'école. Non, non! pas du thé parce que c'est pas bon pour les enfants, mais un verre de lait là, là. Pis là, là, sans plus tarder, je vous présente Monseigneur Ki..., Ki..., qui vient de loin[11]!»

Si Mgr Conway s'était tiré du guêpier linguistique dans lequel il s'était fourvoyé, on devine l'hilarité générale dans la nef et même dans le sanctuaire car Mgr Kiwanuka n'y avait pas résisté!

À la fin du mois de novembre 1930, l'abbé Pichette, en avouant souffrir du mal du pays, remerciait Mgr Melanson de l'envoi de l'hebdomadaire de Campbellton, tout en lui donnant de ses nouvelles :

> Je n'ai jamais trouvé le *Graphic*[12] aussi intéressant que le numéro reçu, aussitôt le paquet reçu je suis monté à ma chambre et j'ai tout lu, même les annonces! Il en fut de même pour *l'Annale*[13] et les autres journaux. Je vous remercie d'avoir pensé à moi. Tout cela comme vous le comprenez bien n'a pas été sans me faire ennuyer du cher Campbellton – et j'ai réalisé une fois de plus que j'en étais

10. Né en 1899 à Nakirebe, Ouganda. Sur Mgr Kiwanuka, lire Amédée Gaudet, P.B., «Les missions des pères Blancs en Afrique S.E. Mgr Joseph Kiwanuka, premier évêque noir du Centre Africain – Les étapes de Mgr Kiwanuka», *L'Ordre Social*, vol. III, n° 13, p. 2, Moncton, N.-B., 7 novembre 1939.
11. Souvenir d'enfance de l'auteur qui était là comme enfant de chœur!
12. Le *Campbellton Graphic*, l'un des deux hebdomadaires anglophones de Campbellton.
13. *Les Annales de Notre-Dame-de-l'Assomption*, publiées par les Filles de Marie-de-l'Assomption.

> bien loin. Puisse l'avenir m'en rapprocher. Pour tout ça, je suis content de mon sort. Les cours se poursuivent toujours et le travail ne manque pas. [...] Je me suis acheté une bibliothèque de livres en Droit suffisante pour *canonner* [son souligné] n'importe qui[14]!

Détail intéressant qu'il communique à son curé : la semaine précédente avait eu lieu la translation des restes d'Henri d'Arles dans les caveaux du Collège canadien, «mort subitement ici l'été dernier et il repose maintenant à côté du regretté père Eloi Martin[15]».

Henri d'Arles était le pseudonyme de l'abbé Henri Beaudé (1870-1930), originaire d'Arthabaskaville, au Québec, mais qui exerça son ministère principalement chez les Franco-Américains. Essayiste et critique littéraire, il avait aussi publié de 1916 à 1921 une édition remaniée et fort controversée du livre *Acadie : reconstitution d'un chapitre perdu de l'histoire d'Amérique : ouvrage publié d'après le ms original, entièrement refondu.* L'auteur de ce livre, Édouard Richard (1844-1904), l'avait initialement publié à Paris en 1896.

Quant à l'abbé Éloi Martin (1871-1915), il était originaire de Saint-Basile, au Madawaska, et était curé de Saint-André, au Madawaska, lorsqu'il mourut subitement à Rome le 25 mai 1925 alors qu'il accompagnait Mgr Chiasson qui participait aux cérémonies de canonisation de sainte Thérèse de l'Enfant-Jésus[16].

En décembre, il écrit de nouveau à Mgr Melanson pour lui annoncer qu'il passera son premier Noël européen à Frascati. Il lui rend compte également d'une conférence donnée au Col-

---

14. N. Pichette à Mgr Melanson, Rome, 30 novembre 1930, AGFMA, BC 853.M52Z 797. Durant son séjour en Europe, il n'acheta pas que des livres de théologie et de droit canon puisque l'on trouvait dans sa bibliothèque bon nombre de grands classiques français, notamment Bossuet.
15. *Ibid.*
16. Mgr Ernest Lang, *Clergé du diocèse d'Edmundston, Nouveau-Brunswick*, Saint-Basile, N.-B., l'auteur, 1985 [Imprimerie Ateliers Graphiques Marc Veilleux, Cap-Saint-Ignace, Qc], p. 250.

lège canadien, dirigé par les Sulpiciens, par le cardinal Verdier, archevêque de Paris et supérieur général des Sulpiciens qui était venu au Canada en 1923. Le cardinal avait développé le thème de l'importance des laïcs dans l'Église et du rôle de l'Action Catholique en des termes qui marquèrent profondément et durablement le jeune prêtre :

> Il est convaincu que c'est ce manque de conviction religieuse qui a été le grand facteur de la perte de la foi chez la masse en Europe [et que] cela a été providentiel pour nous faire comprendre que les traditions religieuses ne suffisent plus : il faut conquérir sa foi. Cela devient de plus en plus une nécessité. Son Éminence a continué en disant qu'une fois un [sic] est conquis c'est pour toujours parce qu'alors il est dans l'ordre. D'où la nécessité de la coopération laïque aujourd'hui, et cette nécessité se fera de plus en plus sentir avec le cours des ans. [...] Sans être prophète de malheur il nous a prédit qu'avant longtemps cette nécessité se ferait sentir au Canada à cause du bien-être qui y règne et aussi de l'émancipation des esprits[17].

S'il n'était pas prophète en 1930, le cardinal Verdier n'en était pas moins perspicace et voyait loin!

La correspondance avec son curé reprit en janvier 1931. Rome est une ville d'émotions où chevauchent, complices, l'*urbs* des empereurs et la majesté des souverains pontifes qui ont assumé la succession impériale. Elle fut la capitale du monde et croit l'être encore. L'abbé Pichette l'explora tant qu'il put durant son séjour, suivant en cela le sage conseil de Stendhal : «Je dirais aux voyageurs : en arrivant à Rome, ne vous laissez empoisonner par aucun avis; n'achetez aucun livre, l'époque de la curiosité et de la science ne remplacera que trop tôt celle des émotions.»

Il notera que les «Romains sont très sensibles au froid alors qu'il n'y a pas de quoi à faire déguerpir une bonne vieille mouche canadienne[18]». Toutefois, les salles de cours à l'Angelicum

17. N. Pichette à Mgr Melanson, Rome, 17 décembre 1930, AGFMA, BC 853.M52Z 798.
18. N. Pichette à Mgr Melanson, Rome, 11 janvier 1931, AGFMA, BC 853.M52Z 805.

sont froides et il faut, durant les cours, porter pardessus et couvre-chaussures.

Dans sa première lettre à Mgr Melanson, peu après son arrivée à Rome l'année précédente, l'abbé Pichette, passablement scandalisé de la paresse du clergé italien comme des pratiques religieuses italiennes dans lesquelles il ne décelait pas beaucoup de dévotion, et du fait que le repos dominical n'était pas observé – un thème qui lui sera cher toute sa vie –, avait ajouté : «Je ne suis pas encore allé saluer le Saint Père, j'espère qu'il n'en sera pas fâché[19]!»

Finalement, il vit Pie XI au cours d'une audience, et il en fit une minutieuse description à l'intention de Mgr Melanson, lui relatant même la diffusion du premier message *urbi et orbi* (de la Ville au Monde) radiodiffusé. Puis, en mars 1931, les étudiants de l'Angelicum furent reçus en audience par le pape. Chacun d'eux fut présenté à Pie XI par le père Gillet, général des Dominicains, après quoi le pape s'adressa au groupe sur «la nécessité pour le clergé et les laïques [sic] de servir l'Église. Il déplore la distinction que font certains à servir le Christ mais non l'Église. Cela est impossible car "ubi Petrus ibi Ecclesias et ubi Ecclesia ibi Christus"[20]». (Où est Pierre est l'Église et où est l'Église est le Christ.)

L'abbé Pichette fera sienne toute sa vie cette formule lapidaire, et c'est fort probablement à Rome qu'il comprit, avant beaucoup d'autres de ses confrères, l'importance des laïcs dans une communauté d'Église. Et ce sont sans doute ces deux leçons essentielles qui lui ont appris comment se concilier les fidèles dont il avait charge, y compris les femmes jusqu'à une certaine mesure, en dépit des préjugés si profondément enracinés à cette époque.

Son séjour romain fut facilité financièrement par les services qu'il put rendre comme aumônier ad hoc de couvents de reli-

---

19. N. Pichette à Mgr Melanson, Rome, 9 novembre 1930, AGFMA, BC 853.M52Z 795.
20. N. Pichette à Mgr Melanson, Rome, 22 mars 1931, AGFMA, BC 853.M52Z 807.

gieuses où il remplaçait de temps à l'autre l'aumônier titulaire. Il le fut bien davantage lorsqu'il eut la chance d'être nommé caudataire du cardinal Locatelli. Avant les réformes liturgiques de Vatican II, les prélats et princes de l'Église jusqu'au pape s'habillaient splendidement. Les traînes des cardinaux, déployées dans les grandes cérémonies, exigeaient un porte-traîne. L'emploi, non rémunéré, offrait cependant à l'heureux titulaire l'accès aux fastueuses cérémonies. L'abbé Pichette, dans le sillage de l'éminentissime prélat de la curie romaine, fut un caudataire heureux!

En avril 1931, il offrait à Mgr Melanson une description des cérémonies de la semaine sainte en la basilique Saint-Jean de Latran, description assaisonnée de remarques un rien assassines sur ce qu'il appelait la «circonférence» des vénérables chanoines de la basilique, cathédrale de Rome. La visite des jardins privés du Vatican l'avait déçu, «car ils sont bien ordinaires : petits ils le sont, mais aussi négligés[21]».

Dans cette lettre, il faisait part à Mgr Melanson de son intention de visiter les villes de Viterbe et d'Orvietto et de faire un voyage en Palestine, en Égypte et en Syrie. Parce que le Collège canadien était fermé durant quatre mois l'été, les étudiants devaient se disperser, ce qui lui donnait une chance inespérée de faire du tourisme et du ministère aussi. Étant donné que sa sœur, Sœur Marie-Sainte-Olympe, enseignait à l'époque au couvent Saint Joseph, d'Abbey Wood, en banlieue de Londres, l'abbé Pichette se fit agréer comme vicaire temporaire à Brentford, autre banlieue londonienne. Il demanda à Mgr Melanson, vicaire général du diocèse de Chatham, l'autorisation de célébrer la messe et de confesser durant tout son séjour en Europe.

Brentford, où il arriva à la fin juillet, était une municipalité typique du développement du Londres métropolitain à la suite de la révolution industrielle. Elle était sise aux limites de la ville de Chiswick et, à cette époque, elle était aussi le chef-lieu

21. N. Pichette à Mgr Melanson, Rome, 21 avril 1931, AGFMA, BC 853.M52Z 809.

du comté de Middlesex[22]. L'abbé Pichette y trouvait l'occasion de renflouer ses finances, grâce à l'intervention d'un prêtre canadien-anglais.

La paroisse catholique comptait un curé et deux vicaires. Le ministère y était difficile, dira plus tard Mgr Pichette[23], qui y prit quand même l'expérience de prêcher en anglais, d'autant plus que le curé était mourant au moment de son arrivée et que ce fut lui qui, constatant le désarroi des vicaires, organisa les funérailles! Pour la petite histoire, la chancellerie de l'archidiocèse catholique de Westminster était désignée par les rares prêtres anglais sous l'épithète de *Foreign Office* (ministère des Affaires étrangères) tant elle comptait peu de prêtres anglais, à commencer par le vicaire général qui était belge!

Pour le bénéfice de Mgr Melanson, l'abbé Pichette lui décrivit sa paroisse temporaire :

> Brentford est une petite ville comprise dans celle de Londres. En majorité protestante, elle ne compte que 1 000 catholiques. Toutefois le curé a deux vicaires et un prêtre étranger désireux d'apprendre l'anglais car outre trois couvents qu'ils ont à desservir, le curé et ses deux assistants enseignent de 9 h à 4 h tous les jours à l'école paroissiale[24].

Son ministère terminé, l'abbé Pichette se rendit en France où il séjourna en Bretagne à la maison-mère des Filles de Jésus, à Kermaria. Il rendit visite à des religieuses canadiennes de cette communauté à Vannes, puis il visita Bordeaux avant de se rendre à Lourdes qui fut pour lui une profonde expérience spirituelle. Il y rencontra un médecin irlandais, miraculé lui-même, qui travaillait bénévolement au bureau des constatations médicales.

22. Les deux municipalités, incorporées en une seule, avaient une population de 59 000 habitants en 1947. Nikolaus Pevsner, *The Buildings of England Middlesex*, Harmondsworth, Penguin Books, 1951, p. 27-30.
23. Entretien N. Pichette/R. Pichette, 1er septembre 1990.
24. N. Pichette à Mgr Melanson, St. John's, Brentford, Angleterre, 29 juillet 1931, AGFMA, BC 853.M52Z 819.

Pâques 1932. Photo prise à Saint-Pierre de Rome. Le célébrant est le cardinal Locatelli (à l'autel de la Confession de saint Pierre) dont l'abbé Pichette était le caudataire. Le pape Pie XI assiste à la messe au trône. Les cardinaux sont en face et à la gauche du pape.

Homme de bon sens mais d'une grande spiritualité, le docteur Sherry lui expliqua avec quelle prudence on accueillait les allégations de miracles. Ce sont les conversions spirituelles qui le remuaient le plus et il en donnait d'abondants exemples. Somme toute, «ce qui est le plus extraordinaire à propos des miracles c'est qu'ils se produisent», comme l'écrivait Chesterton[25].

Puis, via Rome et Naples, il se rendit en Palestine en compagnie de trois confrères. Durant dix jours, il vécut des moments inoubliables qu'il décrivit à Mgr Melanson :

> J'ai célébré la messe au Calvaire, au St Sépulcre, à l'endroit où N.S. a apparu à Madeleine au matin de Pâque sur la voie douloureuse, dans la grotte de Bethléem, à Jéricho, à Nazareth à l'endroit même où se fit l'Annonciation, à Gethsémani sur le rocher, et au Tabor. On y célèbre avec grande piété comme bien vous le pensez : ne se trouve-t-on

25. G.K. Chesterton, *The Innocence of Father Brown*.

L'abbé Pichette à dos de chameau, à Jéricho, près du puits du prophète Élie, au pied de la montagne où le Christ se retira pour jeûner. Au dos de la photo : « Ne trouvez-vous pas que mon chameau a l'air fier de porter un "canayen"?»

pas dans les lieux les plus saints du monde. Ne parcoure-t-on pas les mêmes rues qu'a parcourues le Divin Maître! Aussi comme l'on a hâte de monter au Calvaire pour baiser ce rocher où Jésus daigna nous sauver. Avec quel intérêt lit-on le saint Évangile : il est notre meilleur guide. C'est alors que l'on comprend les nombreux textes et allusions

> autrefois difficiles à saisir. J'ai donc fait un voyage très intéressant[26].

L'abbé Pichette obtint son doctorat en droit canon *summa cum laude* en 1932, mais au lieu de rentrer immédiatement au diocèse de Chatham, il obtint la permission de Mgr Chiasson de passer une année supplémentaire à Rome pour y approfondir l'ascétisme et la mystique avec, comme maître, le célèbre théologien dominicain, le père Garigou-Lagrange.

À Rome, en novembre 1932, il eut la joie d'accueillir son curé, Mgr Melanson, en visite en Europe. Vicaire général du diocèse de Chatham depuis 1929 et promu protonotaire apostolique en 1930, il avait établi son quartier romain au Collège canadien. C'est à Rome qu'il apprit sa nomination, le 7 décembre 1932, comme évêque de Gravelbourg, en Saskatchewan. L'abbé Pichette a laissé de cet événement dont il fut témoin privilégié une élégante narration :

> Depuis une semaine, Monseigneur connaissait la volonté du Saint Père, mais lié par le secret du saint office, il ne pouvait la faire connaître. Le 29 au soir, j'étais à causer avec Monseigneur quand Monsieur le Supérieur qui venait de recevoir le journal [*L'Osservatore Romano*], entra pour présenter au nouvel élu ses félicitations et ses hommages; en même temps, il m'apprenait la nouvelle. Combien grande fut ma joie! Aussi, je m'empressai à mon tour d'offrir à son Excellence de chaleureuses félicitations. Toutefois, à cette joie s'associait un sentiment de tristesse et je ne pus m'empêcher de lui exprimer le regret que j'éprouvais et que les paroissiens de Notre-Dame-des-Neiges de même que l'Acadie tout entière ressentiront en apprenant qu'il va nous quitter pour Gravelbourg[27].

---

26. N. Pichette à Mgr Melanson, Rome, 25 octobre 1931, AGFMA, BC 853.M52Z 831.
27. Abbé Numa Pichette, «La nomination de Mgr Louis-Joseph-Arthur Melanson au siège épiscopal de Gravelbourg, Rome, le 7 novembre 1932», *Souvenir du Sacre de Son Excellence Monseigneur Louis-Joseph-Arthur Melanson 2e évêque de Gravelbourg, Sask.*, Québec, Imprimerie Ernest Tremblay, 1934, p. 15-16.

Ses études terminées, l'abbé Pichette rentrait au Canada en 1933 pour être nommé vicaire à la cathédrale de Chatham. Il devait y rester cinq ans.

Photo prise dans les jardins du Collège canadien, à Rome, le 4 décembre 1932, en compagnie de Mgr Louis-J.-Arthur Melanson qui venait d'être nommé évêque de Gravelbourg, en Saskatchewan.

Chapitre 4

Chatham et Loggieville

Chatham était, jusqu'à sa récente incorporation dans la nouvelle ville de Miramichi, au Nouveau-Brunswick, une petite ville qui avait eu ses heures de prospérité commerciale, surtout à cause de l'exportation du bois vers l'Europe. Sa population était et est encore majoritairement anglophone et les catholiques principalement d'origine irlandaise. Depuis 1860, la ville était le siège d'un diocèse immense qui englobait grosso modo les comtés de Northumberland, de Gloucester, de Restigouche, de Madawaska et une partie de Victoria et de Kent.

Depuis le premier évêque, Mgr James Rogers (1826-1903), les titulaires du siège épiscopal et leurs coadjuteurs avaient tous été d'origine irlandaise. La lutte des Acadiens pour obtenir un évêque de leur race sera longue, ardue et épique. On a souvent dit que les Irlandais cultivaient la vocation à l'épiscopat. C'est que Rome considérait le peuple d'Irlande, victime de persécutions de toutes sortes par l'occupant depuis un temps immémorial, comme un peuple martyr. À force d'inepties de la part des prélats irlandais en Acadie, l'auréole du martyre était quelque peu ternie. Il faudra attendre la nomination de Mgr Édouard LeBlanc (1870-1935) au siège de Saint-Jean, Nouveau-Brunswick, en 1912, pour que cet épineux problème commence à trouver un début de solution.

Le diocèse de Chatham, dans lequel se trouvait une population francophone considérable[1], n'aura de titulaire acadien

1. La population catholique du diocèse de Chatham était de 116 612 fidèles dont 95 673 de langue française et 20 939 de langue anglaise.

qu'en 1920, lorsque Mgr Patrice-Alexandre Chiasson, alors vicaire apostolique du golfe Saint-Laurent, fut nommé au siège épiscopal. Si les Acadiens se réjouirent d'avoir enfin l'un des leurs comme évêque – Mgr Chiasson était originaire de Grand-Étang, au Cap-Breton, en Nouvelle-Écosse –, ses ouailles irlandaises ne le virent pas d'un même œil, tant s'en faut!

Il n'entre pas dans notre propos de reprendre l'historique de cette question dont l'importance pour le catholicisme et le nationalisme acadien n'échappe à personne. Elle a été fort bien traitée, notamment par le professeur Léon Thériault[2]. L'attitude de l'épiscopat irlandais vis-à-vis des Acadiens s'était exprimée fort clairement dans un long mémoire adressé en 1908 par l'archevêque d'Halifax et les évêques des provinces Maritimes dans lequel l'épiscopat s'opposait à la création d'un diocèse acadien à Moncton et réfutait avec véhémence les arguments avancés par les Acadiens[3].

Durant son séjour à Chatham, l'abbé Pichette avait fait une copie dactylographiée de cet étonnant document[4] qu'il faudrait reproduire dans son ensemble pour mieux comprendre la mentalité d'un épiscopat qui réprouvait toute velléité d'affirmation nationale de la part des Acadiens. On jugera du ton, cependant, par ces seuls extraits :

> Comme argument supplémentaire pour ne pas accéder à la présente pétition, Nous pourrions dire qu'il est incontestable que plusieurs des idées libérales et quelque chose

---

2. Léon Thériault, «L'acadianisation des structures ecclésiastiques aux Maritimes, 1758-1953», *L'Acadie des Maritimes*, Université de Moncton, Chaire d'études acadiennes, 1993, p. 431-466.
3. Sur le diocèse de Chatham et plus particulièrement sur l'ex-cathédrale Saint Michael, lire Reverend B.M. Broderick, *The Catholic Church in the Maritimes*, 1989, 31 p. Sur la contribution des Irlandais à l'Église du Nouveau-Brunswick, lire Leo J. Hynes, *The Catholic Irish in New Brunswick 1783-1900*, Moncton, edited by J. Edward Belliveau, 1992, 302 p.
4. «To His Excellency, The Most Reverend Donatus Sbaretti, D.D., Archbishop of Ephesus, Apostolic Delegate to Canada, Ottawa, Archbishop's House. Halifax, N.S., Jan. 17, 1908 (copy)», 6 feuillets dactylographiés recto-verso, archives de l'auteur.

> de l'esprit d'indépendance de l'autorité, si évident en France actuellement, s'est implanté parmi les gens des diocèses canadiens-français, exigeant l'active opposition de la hiérarchie de ces provinces ecclésiastiques afin de les combattre; et si de telles idées continuent à gagner du terrain, elles s'infiltreront nécessairement parmi les gens de langue française des provinces Maritimes particulièrement à cause du fait que l'esprit d'indépendance de l'autorité est si profondément marqué chez les quelques chefs du parti acadien. Le présent «régime» tend à exclure un tel développement, et il Nous paraît contre-indiqué d'encourager cet esprit en créant un nouveau diocèse pour accommoder le nationalisme exagéré de ces quelques agitateurs[5].

Et le mémoire, qui est une charge à fond contre le nationalisme acadien, concluait que la création d'un diocèse de Moncton encouragerait une agitation pour que le diocèse de Chatham soit lui-même démembré pour accommoder les autres régions acadiennes :

> Finalement, ces agitateurs proposent la création de ce nouveau diocèse comme remède efficace à un mal imaginaire mais, au contraire, ce serait simplement le moyen de causer une série d'agitations par d'autres groupes d'Acadiens. À titre d'exemple, il se trouve dans le comté de Gloucester (N.-B.), autant d'Acadiens que dans Westmorland, et la création d'un diocèse de Moncton n'encouragerait-il pas l'ambition des agitateurs, et ne les inciterait-il pas à s'agiter dans Gloucester et autres centres? Si un tel état de chose

---

5. *Ibid.* «To add another reason for not granting the present petition, we may say that it is undoubtedly the case that any of the liberal ideas and some of the spirit of independence of authority, now so prevalent in France, has struck root among the people of the French Canadian Dioceses, requiring the active opposition of the Hierarchy of those ecclesiastical provinces to combat it; and if such ideas continue to gain ground, they will naturally be introduced among the French-speaking people of the Maritime Provinces particularly as the spirit of independence of authority is so marked with the few leaders of the Acadian party. The present "regime" tends to exclude such development, and it does not seem to us advisable to foster the spirit by forming a new diocese to satisfy an exaggerated spirit of nationality on the part of these few agitators.»

> devait se produire, le gouvernement religieux deviendrait en pratique impossible[6].

La hiérarchie irlandaise eut gain de cause à Rome. Il fallait que la foi fut vive et solide pour que les Acadiens endurent si longtemps, mais pas patiemment, pareil régime de sujétion. Moncton sera érigé en archevêché en mars 1936, non sans opposition de la part du clergé anglophone du Nouveau-Brunswick. L'effet domino causé par le démembrement des diocèses de Saint-Jean et de Chatham, anticipé et redouté par les prélats en 1908, devait bel et bien se produire, et l'abbé Pichette en arrivant à Chatham en 1933 se trouva plongé en pleine agitation antifrancophone. La nomination d'un vicaire francophone à Chatham fut la goutte qui fit déborder le vase!

En septembre 1933, une pétition à l'adresse de Mgr Chiasson avait circulé dans Chatham et une copie avait été envoyée au délégué apostolique, Mgr Andrea Cassulo. On se plaignait, entre autres, de la présence de trop de prêtres francophones à l'évêché, évêque en tête, que l'on accusait de favoriser les ouailles francophones en créant de nouvelles paroisses au détriment des anglophones. En pleine crise économique, on prêchait alors le retour à la terre – un thème cher à Mgr Melanson –, et le clergé s'efforçait de fonder de nouvelles colonies pour enraciner ses ouailles et leur assurer un minimum vital.

Quant aux prêtres, on les accusait de faire de la propagande nationaliste française, même au confessionnal! «Imaginez-vous! Quelque chose qui n'a jamais été fait parce que tous les prêtres français qui étaient à Chatham parlaient anglais[7]», disait Mgr Pichette.

---

6. *Ibid.* «Finally these agitators propose the formation of a new Diocese as an efficient remedy for an imaginary ill, but on the contrary it would simply be the means of causing a series of agitations on the part of other groups of Acadians. For instance, there are in Gloucester County, N.B., as many Acadians as in Westmorland, and would not the formation of a Diocese of Moncton add fuel to the ambition of the agitators, and incite them to stir up agitations in Gloucester and in other centres. Should such a state of affairs ensue, the result would be a practical impossibility of religious government.»
7. Entretien N. Pichette/R. Pichette, 3 septembre 1990.

Dans l'entourage de Mgr Chiasson, à l'évêché, se trouvaient le vicaire général, Mgr François-M. Daigle, l'abbé Norbert Robichaud, futur archevêque de Moncton qui exerçait les fonctions de secrétaire de l'évêque et de chancelier du diocèse, et l'abbé Pichette comme vicaire. Seul le curé, Mgr Michael O'Keefe, était anglophone[8]. Il n'en fallait pas moins pour que l'on crie à la persécution! On le fit, et sur quel ton! Le texte complet de la pétition est publié, probablement pour la première fois, en annexe[9]. On jugera ainsi de la mauvaise foi, du racisme et de l'arrogance des sectaires anglophones de l'époque.

Mgr Pichette avait fait, en avril 1987, une copie de la pétition en la transmettant à Mgr Gérard Dionne, évêque d'Edmundston, pour qu'elle soit conservée à cause de son grand intérêt historique. Mgr Pichette affirmait : «[ma] nomination à titre de vicaire de Mgr O'Keefe a été l'occasion de cette pétition. Je vous l'envoie car elle mérite d'être placée dans les archives du diocèse. D'ailleurs c'est cette pétition qui a décidé Mgr Chiasson à demander le transfert de l'évêché de Chatham à Bathurst qui s'est fait le 15 mai 1938[10].»

Mgr Chiasson ignorait ce qui s'était tramé en secret. Ce fut l'abbé Pichette qui l'avertit de l'existence de cette pétition, l'ayant lui-même appris d'un monsieur Aubé qu'il avait rencontré en ville.

Surprise de Mgr Chiasson! «Dame, dame! Êtes-vous sûr de votre affaire?» demanda l'évêque à l'abbé Pichette qui l'était parce que ce monsieur Aubé était avantageusement connu de l'évêque. L'affaire en resta là jusqu'à ce que Mgr Chiasson se rende à Montréal pour assister au sacre de Mgr Louis-Adelmar

---

8. Mgr O'Keefe (1865-1934) était originaire de Chatham. Ordonné prêtre à Montréal en 1891, il avait été vicaire à Grand-Sault de 1891 à 1892, pour devenir curé au même endroit en 1892 jusqu'à 1904, alors qu'il était nommé curé de la paroisse cathédrale de Chatham.
9. On trouve plusieurs copies de cette pétition, manuscrites, ronéotypées ou dactylographiées, conservées au Centre d'études acadiennes (CEA), Université de Moncton à Moncton, sous la cote «Le clergé irlandais et la cause française – correspondance», Fonds 991-1.
10. Mgr N. Pichette à Mgr G. Dionne, Edmundston, le 6 avril 1987. Archives du diocèse d'Edmundston.

Lapierre des Prêtres des Missions Étrangères, nommé vicaire apostolique de Szepigkai, en Mandchourie[11].

Ce fut le délégué apostolique lui-même qui parla de la pétition à Mgr Chiasson qui n'en savait pas plus que ce que l'abbé Pichette lui avait dit. «Excellence, vous me parlez d'une chose que je ne connais pas», répondit Mgr Chiasson à Mgr Cassulo. Ce fut au tour du délégué apostolique d'être surpris puisqu'on l'assurait dans la lettre qui lui avait été transmise qu'une copie avait également été remise à l'évêque de Chatham.

Intrigué, Mgr Chiasson téléphona à son vicaire général, Mgr Daigle, à Chatham, lui demandant de vérifier dans son courrier si par hasard le document s'y trouvait. Effectivement, il y était; et le vicaire général l'expédia à Mgr Chiasson, qui déclara au délégué apostolique qu'il ne pouvait discuter de la question avec lui avant de l'avoir étudiée, mais qu'il lui répondrait par écrit.

Ce qu'il fit dans une longue lettre en date du 12 octobre 1933. Reprenant point par point les vingt allégations contenues dans cette pétition, le prélat les démolissait une à une. On avait même accusé le délégué apostolique d'avoir osé parler en français lors du banquet qui avait suivi la consécration de Mgr Melanson comme évêque de Gravelbourg! De cette insulte directe au représentant du pape, qui avait parlé en français sur les instances de Mgr Chiasson, l'évêque de Chatham offrait ses vives excuses pour le manque de bonnes manières de certains de ses diocésains[12]!

En ce qui concerne la nomination d'un vicaire francophone, en l'occurrence l'abbé Pichette, Mgr Chiasson la justifiait comme suit :

---

11. Étant donné que Mgr Lapierre fut sacré à Montréal le 4 août 1932 et que la pétition des Irlandais de Chatham est datée de septembre 1933, il est possible que la mémoire de Mgr Pichette lui ait fait défaut sur ce détail.
12. La réponse de Mgr Chiasson, adressée à Mgr Andrea Cassulo, est publiée in extenso dans l'appendice E de Alexandre-J. Savoie, *Un siècle de revendications scolaires au Nouveau-Brunswick 1871-1971*, vol. 2, «Les commandeurs de l'Ordre à l'œuvre (1934-1939)», p. 249-261.

> Il y a enfin un vicaire de langue française avec un curé de langue anglaise. La nomination d'un vicaire de langue anglaise n'est pas disponible pour cet office. Le prêtre de langue anglaise, faisant l'office de vicaire à la paroisse de Chatham les cinq dernières années, a été nommé professeur au collège Saint-Thomas de Chatham, institution établie uniquement pour garder et développer la langue anglaise chez la population de cette langue dans le diocèse et ailleurs[13].

Plus loin, il ajoutera : «Je ne puis nommer un vicaire de langue anglaise à la paroisse de Chatham pour la raison indiquée au n° 13 et l'évêque sait fort bien au contraire qu'il n'y a pas de prêtres disponibles de langue anglaise pour l'office de vicaire, pas plus que celui de secrétaire et de vicaire-général[14].»

Mgr Pichette trouvait le langage de la pétition carrément polisson. On en jugera soi-même. L'abbé Pichette avait vainement demandé à lire le texte et même suggéré de le publier. Mgr Chiasson s'y refusa catégoriquement. Ce fut l'abbé – plus tard monseigneur – Arthur Gallien, alors curé à Baie-Sainte-Anne, qui l'obtint d'une curieuse façon.

Un pharmacien de Chatham ambitionnait de se faire nommer au Sénat par le premier ministre Bennett. Il sollicita une lettre d'appui de la part de l'abbé Gallien qui lui rétorqua qu'il était surpris de sa démarche puisque le pharmacien avait signé une pétition dans laquelle il était dit que les prêtres francophones appuyaient davantage les protestants que les Irlandais catholiques. Le pharmacien jura ses grands dieux qu'il n'avait jamais signé pareille pétition et assura l'abbé Gallien qu'il lui apporterait une copie de la pétition le lendemain pour le lui prouver.

L'abbé n'avait pas, bien entendu, lu le texte, mais le subterfuge marcha à merveille. Le lendemain, le pharmacien revint au presbytère de Baie-Sainte-Anne, texte en main, et l'abbé Gallien lui demanda de lui laisser le texte jusqu'au lendemain pour qu'il y réfléchisse. Comme il devait se rendre à Chatham

---

13. *Ibid.*, p. 255.
14. *Ibid.*, p. 259.

le lendemain, il le lui rendrait. Naturellement, l'abbé en fit une première copie, puis il en fit faire d'autres, et il les distribua généreusement de sorte que l'abbé Pichette, qui était son ami, eut son exemplaire!

Il y eut cependant des repentirs au tribunal de la pénitence. Mgr Pichette se rappelait : «Je peux te dire ceci : on confessait, on ouvrait le guichet et on entendait : *"I spoke against the Bishop."* Je riais presqu'aux larmes en entendant dans le confessionnal la répétition de : *"I spoke against the Bishop."* J'ai dit du mal de l'évêque[15].»

Trois ans plus tard, en 1936, l'abbé Pichette évoquait l'épisode pour le compte de Mgr Melanson à Gravelbourg. Il lui disait : «Je me plais à Chatham : le ministère me tient occupé. Nos "frères séparés", après leur crise nerveuse de 1933, se montrent sympathiques et gentils. Je tâche d'en faire autant[16].» Pourtant, l'idée de créer un évêché à Moncton pour faire droit aux revendications acadiennes faisait toujours son chemin et, à l'évidence des archives, la malencontreuse pétition ne servit qu'à muscler les arguments des nationalistes acadiens et, par voie de conséquence, à hâter le dénouement.

Le clergé francophone du diocèse profita de l'occasion pour adresser une supplique au délégué apostolique demandant le changement du siège épiscopal[17]. L'affaire avait fait grand bruit et un journal anglophone de Chatham, *The Commercial*, s'était fait l'écho des protestations irlandaises en publiant des «articles qui tendent à soulever l'opinion publique en essayant de faire croire à l'existence d'une propagande organisée pour faire disparaître la langue anglaise de notre province[18]...»

---

15. Entretien N. Pichette/R. Pichette, 3 septembre 1990.
16. N. Pichette à Mgr Melanson, Chatham, 25 février 1936, AGFMA, BC 853.M52Z 1067.
17. CEA, Supplique À Son Excellence Monseigneur Andrea Cassulo, Archevêque de Leontopolis, Délégué Apostolique au Canada et à Terre-Neuve, Fonds 991-1.
18. *Ibid.*

La Société l'Assomption y vit l'occasion en or de relancer la question de la division des diocèses du Nouveau-Brunswick. Elle organisa donc une contre-protestation par une lettre circulaire aux curés francophones, sous la signature du docteur A.-M. Sormany, d'Edmundston[19].

Dans sa lettre à Mgr Melanson, l'abbé Pichette disait encore : «On ne parle plus de division de diocèse, mais le fait que la nomination à Saint-Jean ne se fait pas inspire confiance aux plus optimistes. La mort de l'archevêque d'Halifax solutionnerait-elle la question en notre faveur? Mgr Chiasson demeure optimiste.»

Or Mgr Édouard LeBlanc, évêque de Saint-Jean, était mort le 18 février 1935, et l'archevêque d'Halifax, Mgr Thomas O'Donnell, qui s'opposait farouchement au démembrement de son archidiocèse, mourait en janvier 1936. Rome profita de la situation, inespérée sinon providentielle, pour annoncer en mars 1936 la création de l'archidiocèse de Moncton. Le premier titulaire de la nouvelle province ecclésiastique qui, jusque-là relevait d'Halifax, sera nul autre que le mentor de l'abbé Pichette, Mgr Louis-Joseph-Arthur Melanson, muté de Gravelbourg, en Saskatchewan.

Dès ce moment, il devenait inévitable que le diocèse de Chatham soit lui-même réaménagé. Mgr Chiasson s'y employait en secret. Dans sa réponse au délégué apostolique, le 12 octobre 1936, l'évêque, après avoir répondu point par point aux critiques contenues dans la pétition, avait suggéré :

> Puisque la population de Chatham n'est pas sympathique ou plutôt parce qu'elle est antipathique aux prêtres de langue française et blâme leur présence ainsi que celle de l'évêque à Chatham, comme il apparaît par les n°s 13, 14 et 15 de cette supplique, comme d'ailleurs l'Ordinaire a besoin de prêtres de langue française pour le travail de la chancellerie et d'administration, suivant les raisons données au n° 13, je crois que les difficultés s'aplaniraient si

---

19. CEA, Fonds 991-1, A.-M. Sormany, Edmundston, 4 janvier 1934.

> Rome daignait fixer le siège du diocèse ailleurs qu'à Chatham[20].

Rome y consentit. Anticipant la décision romaine, Mgr Chiasson avait jeté son dévolu sur Bathurst comme siège épiscopal, principalement parce que Chatham était tout au bout du vaste diocèse. Mgr Pichette estimait que la distance entre Chatham et Connors, au Madawaska, la paroisse la plus reculée du diocèse, était de 275 milles. Bathurst, plus central, réduirait ces énormes distances. De plus, la ville possédait un élément francophone très important, sans compter le collège du Sacré-Cœur dirigé par les Eudistes.

Mgr Chiasson se mit en communication avec Mgr Dosithée Robichaud, curé de la paroisse du Sacré-Cœur, à Bathurst, pour l'achat d'une propriété qui servirait de résidence et de chancellerie à l'évêque, ce qui fut fait toujours dans le plus grand secret. Chatham cessa d'être ville épiscopale le 15 mai 1938 lorsque l'évêque déménagea à Bathurst sans même un mot d'adieu pour les «fidèles» de Chatham. Le dimanche précédent, il avait ordonné trois prêtres dans l'imposante cathédrale Saint Michael sans pour autant souffler mot de la décision prise. Il n'y eut aucun communiqué, ni par l'évêque, ni par le curé, ni par d'autres. L'abbé J. Murdoch Burns restait derrière comme curé et l'abbé Pichette comme vicaire[21].

La population locale avait tout de même eu vent de ce départ définitif. Une délégation consternée vint rencontrer Mgr Chiasson le 14, veille du départ. On lui reprocha de n'avoir pas soufflé mot de ses intentions le dimanche précédent, lors de l'ordination, et de ne pas avoir profité de l'occasion pour prendre congé dignement de la population locale. On lui rap-

---

20. Alexandre-J. Savoie, *op. cit.*, p. 260. Voir aussi Marie-Dorothée, *Quand tourne le vent, Mgr Édouard Alfred LeBlanc, premier évêque acadien 1912-1935*, Moncton, Religieuses Notre-Dame-du-Sacré-Cœur, 1991, p. 247-248. L'auteure, à la p. 247, fait erreur en attribuant la paternité de la pétition au clergé anglophone de Chatham et de Loggieville.
21. Sur le diocèse de Bathurst, lire «125e anniversaire du diocèse de Bathurst : 1860-1985», *La Revue d'histoire de la Société historique Nicolas Denys*, vol. XIV, no 1, janvier-mars 1986.

pela que Chatham était le siège d'un évêché depuis 1860. Peine perdue. «L'évêque voulait se libérer de cet entourage-là», disait Mgr Pichette[22]. Chatham et d'autres localités anglaises passèrent au diocèse de Saint-Jean.

Durant cinq ans, l'abbé Pichette fut fort actif à Chatham. Le canoniste, qui s'était doté d'une bibliothèque en droit suffisante pour «canonner» n'importe qui, comme il l'avait écrit à Mgr Melanson, n'eut pas grand travail dans ce domaine : «À Chatham j'étais le tribunal. Il n'y avait personne d'autre. Mais on n'a eu seulement qu'un cas du temps où j'étais là et, à ce moment-là, j'étais meilleur en latin qu'en français ou en anglais pour rédiger des textes théologiques et philosophiques», disait-il.

De fait, les évêques des Maritimes mirent leurs ressources en commun pour créer un seul tribunal ecclésiastique régional, établi à Halifax. À deux ou trois reprises, alors qu'il était à Edmundston, on lui demanda d'y siéger, d'abord comme avocat, puis comme juge, mais il déclina chaque fois en arguant que «c'était impossible pour moi de siéger au tribunal d'Halifax à cause de la situation dans laquelle je me trouvais ici, fondant une paroisse, alors que tout était à faire. [...] J'ai toujours refusé parce que je me sentais incapable de rendre justice à la paroisse et au tribunal en faisant les deux[23].»

En 1936, il donnait à Mgr Melanson, qu'il aurait souhaité visiter à Gravelbourg, un aperçu de ses activités :

> Je sors peu, très peu, même trop peu. En restant caserné trop longtemps on semble perdre contact avec le monde. Après le jour de l'an je suis allé passer trois jours à C'ton [Campbellton] et depuis cette sortie, je ne suis même pas allé à Newcastle. Comme vous pouvez en juger je garde la résidence scrupuleusement ... et je ne suis pas curé; peut-être [que] si je l'étais [...] je ne la garderais pas aussi fidèlement! Mais j'ai de quoi m'occuper ici tous les jours de chaque semaine et je ne pense pas à sortir. J'ai inauguré cette année un cours catéchistique pour nos filles du High School. Je fais mon cours, les sœurs le publient et j'en distribue une

22. Entretien N. Pichette/R. Pichette, 3 septembre 1990.
23. *Ibid.*

> copie à chacune de mes 50 élèves. Cette année j'enseigne l'Apologétique : naturellement c'est un cours sommaire mais que je juge nécessaire. Je crois qu'il devient de plus en plus nécessaire de donner de vrais cours de religion à nos jeunes plus âgés et c'est ce que j'essaie de faire. Personnellement je profite énormément de ce travail qui me demande beaucoup de temps[24].

Mais aux charges et activités pastorales normalement dévolues à un vicaire, l'évêque ajouta, en 1937, la tâche d'administrateur de la desserte de Loggieville, petite communauté en banlieue de Chatham. Il n'est pas exagéré d'affirmer que c'est là qu'il se fit la main comme futur curé. La petite localité à cinq milles de Chatham, incorporée en village en 1966, tient son nom d'Andrew Logie, premier maître de poste en 1895[25]. La localité avait été fondée par des colons venus d'Écosse en 1777.

En 1875, la localité devint une mission et, en 1877, les citoyens catholiques de Loggieville construisirent leur première église placée sous le vocable de saint André, patron de l'Écosse. L'année suivante, Loggieville devenait une mission de la paroisse des saints Pierre et Paul à Bartibog. Le premier registre de la mission fut ouvert le 21 janvier 1879. En 1899, la mission eut son premier prêtre résidant, l'abbé John L. MacDonald, mais à sa mort en 1903, la paroisse redevint une mission, cette fois dépendante de Chatham[26].

L'église, plutôt chapelle qu'église, construite en trois morceaux, était pitoyable. «Ça faisait pitié», disait Mgr Pichette[27]. Au cours d'une veillée chez un paroissien, un dimanche soir,

---

24. N. Pichette à Mgr Melanson, Chatham, 25 février 1936, AGFMA, BC 853.M52Z 1067.
25. Alan Rayburn, *Geographical Names of New Brunswick*, Toponymy Study 2, Canadian Permanent Committee on Geographical Names, Ottawa, 1975, p.160.
26. Renseignements aimablement fournis par les archives du diocèse de Saint John.
27. Les citations qui suivent se rapportant à Loggieville sont toutes extraites de l'entretien N. Pichette/R. Pichette, 3 septembre 1990.

celui-ci aborda la question d'une église, une vraie. Alors l'abbé Pichette lui répondit : «Très bien. Dimanche prochain, après le salut du Saint Sacrement, on va faire une assemblée. On va nommer huit hommes dont vous serez, pas plus, ni moins. Si vous êtes d'accord, il y a des chances que ça marche. S'il y a désaccord entre vous, ça va mourir comme c'est déjà arrivé dans le passé.»

Le dimanche suivant, les huit se réunirent sans connaître le but de la réunion sauf, bien entendu, celui qui l'avait convoquée. Or, celui-ci aurait préféré que l'église soit située à proximité du cimetière, ce que l'abbé Pichette savait.

«Je leur ai dit : "La première chose à régler, c'est le site de l'église. Choisir un site cause souvent beaucoup de frictions et de divisions dans une paroisse. Si vous voulez que ça marche, c'est la première chose à régler. Quant à moi, je vous assure que le site normal, naturel, c'est celui-ci. L'église a toujours été ici. Ça ne serait pas facile de la changer. De plus, elle n'est pas mal située tant pour le haut que pour le bas de la paroisse."»

Les sept étant d'accord, l'initiateur de cette réunion se rangea à l'avis général. Le vicaire-administrateur était conscient de la précarité de sa propre situation.

«J'ai réfléchi à cela moi aussi durant la semaine. N'oubliez pas une chose. Moi, je ne suis que vicaire. Je fais quelque chose sans autorisation aucune. N'allez pas ébruiter que le vicaire commence à penser à construire une église ici parce que ça peut facilement tuer le poulet dans l'œuf vous savez!»

L'église était construite sur une lisière de terrain. Par contre, il y avait deux acres et demi juste à côté, ce qui suffisait pour construire à condition de pouvoir l'acquérir. Une maison se trouvant sur ce terrain pouvait éventuellement servir de presbytère. Elle était occupée par une vieille dame célibataire âgée d'au moins quatre-vingt-cinq ans et malade. Le lendemain matin, avant de regagner Chatham, l'abbé Pichette lui rendit visite et lui proposa 1 000 $ pour la terre et la maison. Heureuse à la pensée que sa maison pourrait devenir un presbytère, elle aurait aimé en faire don à la paroisse si elle en avait eu les moyens. Elle accepta l'offre proposée à la condition de continuer d'habiter sa maison jusqu'à sa mort.

Il la rassura en lui disant qu'il n'était pas question de commencer le lendemain. Il fallait d'abord l'approbation de l'évêque, puis que l'église soit construite. Elle mourrait donc dans sa maison.

La paroisse avait 17 000 $ en banque. «À ce moment-là, on était plongé en pleine crise économique avec des salaires de 25 cents l'heure. Les charpentiers, on pouvait les avoir pour 35 cents l'heure. Avec 17 000 $ on pouvait aller loin.» Au cours d'une autre réunion, les huit se mirent d'accord et l'abbé Pichette leur dit : «On est capable de construire une église avec ça.» L'administrateur estimait que l'église devrait avoir les dimensions de 130 pieds sur 48 avec une sacristie attenante. «Mais j'étais novice là-dedans, moi; je ne connaissais pas grand-chose.»

Restait l'essentiel, l'approbation de l'évêque sans compromettre l'audacieux vicaire.

> Je leur ai dit :
>
> – L'évêque va venir ici pour la confirmation au mois de juin. Il faut que tous les huit aient une réunion avec lui. D'ailleurs il vous connaît. Vous êtes presque tous des cheminots et comme l'évêque voyage par le train, il connaît les conducteurs et les ingénieurs. Faites bien attention de dire à l'évêque que vous avez discuté de ce projet avec moi. Dites-lui que vous m'avez parlé pour demander une église, mais pas que l'idée vient de moi, car je n'ai aucune autorisation pour faire ce que j'ai fait.
>
> Le jour venu, l'évêque me dit au dîner du dimanche :
>
> – Vous sortirez l'automobile. On va descendre à Loggieville vers deux heures pour la confirmation.
>
> En descendant, j'ai mentionné à l'évêque qu'un comité voulait le rencontrer. Mgr Chiasson, comme tous les évêques, je pense, n'aimait pas beaucoup ça parce qu'il s'agit de requêtes, et ils ne savent pas s'ils peuvent accepter ou non; de plus nous étions durant la crise, l'argent était rare, on faisait des quêtes de sept, huit, dix dollars par dimanche de sorte qu'au cours de l'année on ne ramassait pas des millions!

– À quel sujet? demande l'évêque.

– Monseigneur, j'ai cru comprendre que c'est au sujet d'une église.

Et Mgr Chiasson de répondre par son exclamation habituelle :

– Dame, dame!

Je lui ai demandé s'il trouvait que c'était un luxe.

– Ah! dame, dame non! ce n'est certainement pas du luxe. Ça fait pitié.

– Moi aussi, je trouve que ça fait pitié. D'autant plus que, depuis que je fais du ministère ici, je le sais d'expérience. Parce qu'on gèle là-dedans. Quand ça chauffe trop, on s'éponge!

L'évêque s'enquit de la composition du comité :

– Il y a les deux Harriman.

– Ah! je les connais tous les deux, dit-il.

– Il y a Tom Clancy, puis il y a Lanteigne.

– Ah! oui, dit-il, je les connais.

– Puis le conducteur (je n'arrive pas à me rappeler de son nom aujourd'hui).

– Oui, me dit-il, je le connais bien.

– Puis il y a Val Kelly.

– Ah! lui aussi je le connais très bien.

La rencontre avec l'évêque eut lieu après la cérémonie de confirmation sans que l'abbé Pichette y assiste. Quand on est simple vicaire (à l'époque où il y en avait!), il faut connaître sa place.

«Quand l'évêque est sorti, je lui ai demandé : "De quoi s'agissait-il, Monseigneur?" Monseigneur m'a dit : "Vous aviez raison." Il avait quand même donné son autorisation d'entreprendre les travaux.»

Le curé, l'abbé J. Murdoch Burns, qui avait succédé à Mgr O'Keefe décédé l'année précédente, n'était pas contre l'idée, mais il confia les travaux à son vicaire. *«You started something, you'll see it through»* ("Vous avez commencé quelque chose, vous verrez à le compléter"), lui dit-il. Ce ne fut pas facile. D'abord, le charpentier de Chatham dont on avait retenu les services, bien qu'excellent, «levait le coude souvent et il le levait longtemps, tout comme ses garçons d'ailleurs[28]».

Peu à peu, Mgr Chiasson commença à émettre des objections, d'abord sur des questions mineures puis finalement sur l'emplacement de l'église projetée. Parce que la route faisait une courbe à l'emplacement prévu, l'évêque voulut que l'église soit placée en biais, «ce qui, selon moi, n'avait aucun sens. J'ai donc dit aux membres du comité : "Soyez ici lundi matin à neuf heures. L'évêque va venir. Ainsi vous serez au courant de ce qui sera décidé. Ce sera à vous autres d'intervenir si quelque chose n'est pas de votre goût. Moi, je ne suis qu'un petit vicaire; je ne compte pas pour grand-chose."»

Le lundi, l'évêque arriva et commença à arpenter le terrain en plantant des piquets selon l'idée qu'il avait en tête. Or, lorsque Mgr Chiasson avait une idée en tête, il ne l'abandonnait pas facilement.

Le vicaire osa quand même faire observer à l'évêque qu'une «église en biais, ça va mal paraître, Monseigneur. Les maisons ne sont pas alignées sur ce plan-là. Il faudrait la mettre en parallèle avec la rue qui se trouve ici. Une église est un bâtiment civique aussi, et patati, et patata...» Sans répondre, l'évêque continua d'arpenter le terrain. L'abbé Pichette supplia les membres du comité de faire part de leur objection directement à l'évêque qui fichait ses piquets. Peine perdue tant ils étaient terrorisés par la personnalité de l'évêque. «Mais parlez-lui!» insista le téméraire vicaire. Enfin, l'un d'eux osa, et bien que Mgr Chiasson le traitât avec plus d'obligeance qu'il n'en avait montré pour le vicaire, il ne démordit pas de son idée.

De retour à Chatham, le repas du soir ne fut pas très réjouissant :

> Il y avait l'évêque, le curé et moi. Pas un mot. Le silence complet. On n'a pas mangé beaucoup. Après le souper, je suis allé trouver le curé qui était assis dans sa grande chaise de bureau et je lui ai dit :

---

28. Un dénommé Phellan.

> – Allez-vous laisser l'évêque commettre l'erreur qu'il est en train de faire?
>
> – Que voulez-vous que je fasse? me répondit-il.
>
> – *Get up and go tell the Bishop. He won't listen to me but he will listen to you.* [Levez-vous et parlez à l'évêque. Il ne m'écoutera pas mais vous, il vous écoutera.]
>
> Il me semble que je le vois encore, plaçant ses mains sur le bureau, se levant, et partant comme une flèche voir Mgr Chiasson dans son bureau.

L'abbé Burns réussit à faire revenir l'évêque sur sa décision, mais la partie n'était pas entièrement gagnée. Mgr Chiasson déplorait le fait que les paroissiens seraient privés d'une salle paroissiale par la démolition de la vieille église où s'élèverait bientôt la nouvelle. Surtout, il insistait pour que tout se fasse sans encourir de dette, «et il n'y en a pas eu non plus», ajoutait Mgr Pichette. Mgr Chiasson aurait bien voulu faire déménager ce qu'il appelait «cette vieille baraque», mais estimait que ce ne serait pas possible.

Le curé, cependant, connaissait un paroissien qui aurait pu réussir. L'évêque suggéra alors d'aller le rencontrer. Sur le champ, de peur que l'évêque ne revienne sur sa décision emportée de haute lutte, curé et vicaire se rendent chez le paroissien en question : «Allons sur place, descendons à Loggieville», suggère Mgr Pichette. Empruntant la voiture du curé, le vicaire et l'entrepreneur s'y rendent. «On a regardé ça puis il m'a dit que, oui, il était possible de reculer l'église et de la placer de telle façon qu'elle soit face à la rue, car le terrain étant sablonneux, une fondation ne serait pas nécessaire, n'exigeant que 300 $ pour sa peine.

«Toujours dans la crainte que Mgr Chiasson ne revienne sur sa nouvelle décision, je lui ai dit : "Vous commencerez demain matin. Le contrat est donné." Je n'étais pas le curé et surtout pas évêque!»

De retour à l'évêché, le curé informa l'évêque que la permission de commencer à déménager le vieil édifice avait été donnée. Mgr Chiasson ne dit mot. Et les travaux commencèrent.

Malheureusement, l'été avait été particulièrement sec, de sorte que l'entrepreneur «avait beau mettre de la graisse sur les billes pour faire haler l'église, les cordages cassaient toujours. Il s'en cassait deux ou trois par jour. Il était devenu découragé. Mais finalement, un orage est survenu un avant-midi et sitôt l'orage passé, ça s'est fait comme par enchantement.» Les travaux de construction pouvaient débuter.

Le vicaire s'improvisa architecte tant bien que mal, mais il eut de la chance. Un Belge, nommé de Jongheer[29], venant d'Ottawa et se rendant à Fredericton, avait eu vent du projet de construction. Il était le représentant commercial de la papetière International Paper, et il s'offrit à lui faire gratuitement un plan pour l'extérieur de l'église durant son séjour à Fredericton, quitte à faire le plan de l'intérieur plus tard à la condition que les matériaux soient achetés à la société qu'il représentait. «De fait, il m'a envoyé un plan d'église, c'était très bien, juste la bonne grandeur dans les dimensions dont nous avions discuté ensemble, 130 pieds sur 48 avec une sacristie sur les côtés.»

Lorsqu'il sera nommé à Edmundston, l'abbé Pichette emploiera le même plan mais dans des dimensions un peu plus grandes.

Le malheureux charpentier avait, pour sa part, recommencé à lever le coude. Renvoyé du chantier à l'automne, il fit devant l'évêque en personne la promesse de s'abstenir de toute boisson enivrante. «Il la faisait toujours pour la vie, mais la vie n'était pas longue!» Ce fut l'assistant qui termina les travaux «de peine et de misère» mais les travaux, entrepris à la fin de l'été, furent menés rondement, car l'église était achevée en janvier 1938.

L'évêque, on l'a vu, ne voulait contracter aucune dette pour la mission. Toutefois, il fallait bien que les gens s'assoient. L'abbé Pichette réussit à convaincre Mgr Chiasson de la nécessité d'avoir

---

29. L'orthographe du nom est donnée sous toute réserve. Mgr Pichette croyait qu'il s'agissait d'un entrepreneur en construction qui avait fait faillite.

Bénédiction de l'église de Loggieville, N.-B., par l'abbé Numa Pichette, administrateur de la mission, le 30 janvier 1938.

des bancs, fabriqués par la scierie Harquail, de Campbellton. L'évêque avait dit, après que l'administrateur eut fait une gymnastique mathématique créatrice pour le convaincre : «Très bien, mais dame, dame! qu'il n'y ait pas une cent de dette.» Il n'y en eut pas, mais il ne restait que quelques dollars dans la caisse de Loggieville. Pour y arriver, l'administrateur avait vendu les bancs un par un à chaque famille.

Si l'évêque avait cédé sur la désignation du site puis sur la question des bancs, il resta intraitable lorsqu'il fut question de coiffer l'église d'un modeste clocher tandis que les échafaudages étaient encore en place[30].

La bénédiction de la nouvelle église était prévue pour le dimanche 30 janvier 1938. Une semaine auparavant, l'abbé Pichette invita l'évêque à se rendre à Loggieville pour procéder à la bénédiction liturgique du nouveau temple. À son grand étonnement, l'évêque refusa net.

30. Le curé de Loggieville, l'abbé Dunn, érigea un modeste clocher. Modeste par nécessité, car l'église était à la merci du vent provenant de la baie de la Miramichi.

«Dame, dame! je n'irai pas!»

Mais le vicaire-administrateur de la desserte avait du cran et trouva l'argument massue pour que l'évêque change d'idée.

«J'ai annoncé au monde que vous viendriez, Monseigneur, ne me désappointez pas. J'ai travaillé fort pour ériger cette église-là, vous le savez. Je leur ai dit que vous viendriez et je m'attends de faire une belle quête. Ne me la gâchez pas!»

Argument irréfutable pour Mgr Chiasson qui accepta d'être présent à la cérémonie, mais non de faire la bénédiction lui-même, se contentant d'assister au trône. Ce fut l'abbé Pichette qui la fit, contrairement à ce qui est affirmé dans une publication[31]. L'église et le presbytère furent la proie des flammes le 10 novembre 1966. Quant à l'église originale transformée en salle paroissiale, elle avait elle aussi été détruite par le feu en 1958.

La quête fut bonne : 300 $ contribués par cent familles, par «du monde qui gagnait 25 cents l'heure, remarquez bien. Donner un dollar ou deux, ça comptait, voyez-vous. Mais les gens étaient contents, ils étaient heureux.»

L'abbé Pichette n'avait pas chômé. Durant cette dernière année, le curé Burns s'était fracturé une hanche en tombant dans sa baignoire, se trouvant hospitalisé et hors de combat durant trois mois. Le vicaire avait fort à faire. «J'avais à préparer la confirmation aux deux endroits, la paroisse et la mission. J'avais un bazar à la paroisse puis j'en faisais un autre à la mission pour ramasser quelques dollars afin qu'il n'y ait pas de dette, je faisais le ministère dans les deux églises. Le dimanche, j'utilisais les services des pères du collège St. Thomas de Chatham pour faire le ministère à la cathédrale et moi je m'en allais à la mission.» Pendant ce temps, il lui incombait de surveiller les travaux de construction à Loggieville, sans oublier l'enseignement.

---

31. James A. Fraser, Carlyle W.W. Stymiest, *A History of Loggieville*, Chatham, N.B., Miramichi Press, 1964, 78 p.

Un tel train de vie devait nécessairement avoir des conséquences. En 1937, l'abbé Pichette fut hospitalisé, souffrant d'épuisement et de dépression.

Mgr Chiasson, comme on le sait, quitta Chatham pour installer l'évêché à Bathurst, le 15 mai 1938. L'abbé Pichette aurait préféré demeurer encore à Chatham comme vicaire pour cinq ans ou à Bathurst dans l'entourage de l'évêque. Celui-ci, qui l'avait vu à l'œuvre, avait d'autres vues. Prenant congé de Mgr Chiasson le 14 mai, veille du départ définitif de l'évêque de Chatham, l'abbé Pichette lui avait exprimé sa crainte qu'on le laisse orphelin à Chatham. La réponse de Mgr Chiasson ne laissa pas d'équivoque :

> Dame, dame! pas pour longtemps. Vous pouvez faire votre valise. Je vous dirais bien où j'ai l'intention de vous envoyer, mais quand j'ai fait cela dans le passé j'ai eu à le regretter parce que des incidents sont survenus par après qui m'ont obligé à changer mes nominations. Vous pouvez préparer vos valises, ce ne sera pas long. Le 15 juin, vous ne serez plus ici[32].

Au moment de son départ de Chatham, les fidèles de Loggieville avaient voulu faire une pétition à l'évêque pour que l'abbé Pichette devienne leur premier curé, la desserte de Chatham ayant été érigée en paroisse autonome le 6 juin 1938 avec, comme premier curé, l'abbé James Edward Dunn. Il les en dissuada en leur rappelant le brillant succès obtenu par la pétition antérieure! Il n'empêche qu'il avait aimé son ministère à Loggieville. Cela est manifeste dans ses adieux faits en chaire le 12 juin 1938 :

> Au moment où mes supérieurs m'appellent à d'autres activités, dans une autre vigne du Seigneur, je suis obligé de faire des adieux à vous tous qui m'êtes chers à cause du temps passé ici et parce que je vous connais intimement. C'est mon devoir de le faire car j'ai l'obligation de vous exprimer mes chaleureux remerciements pour la bonté, la courtoisie et le respect dont vous avez fait preuve envers

32. Entretien N. Pichette/R. Pichette, 7 août 1989.

> moi aussi bien que pour l'entière coopération donnée dans mon ministère comme instrument de la divine providence ici à Loggieville[33].

Aucun vœu pieux dans ce sermon d'adieu, aucune platitude, aucun cliché. Les remerciements aux parents et aux jeunes gens sont sincères et marqués au coin de la doctrine de l'Église. Il les appelle à l'unité, à la coopération, et il leur dit aussi :

> À tous je peux dire qu'en dépit de mes nombreux défauts, je peux affirmer en vérité que j'ai constamment travaillé ardemment dans vos intérêts. Je ne veux pas passer en revue le travail qui s'est accompli ici, mais je veux souligner une fois de plus la nécessité de toujours accorder votre entier appui et votre coopération, de donner le meilleur de vous-mêmes à toute entreprise paroissiale. La coopération est la clé du succès de toute entreprise. Après tout, un prêtre ne travaille pas pour lui-même dans une paroisse. Il est au service des gens et, les gens le sachant, doivent être loyaux et généreux sans quoi tous les efforts du prêtre seront sans effets. Ne tolérez pas qu'aucune friction ne divise vos rangs car, comme le disent les Saintes Écritures «une maison divisée contre elle-même tombera». [...] Je vous considère tous comme des amis personnels : mes relations avec vous ont toujours été très amicales et cela a été pour moi une grande source d'encouragement dans l'accomplissement de mes devoirs[34].

---

33. «And now as I am called by my superiors to another sphere of labor, another of the Lord's vineyard, I am compelled to say farewell to you that time and intimate acquaintances have made dear to me. I feel it therefore my duty to do this as I have the obligation of expressing to you my heartfelt thanks for your kindness, courtesy and respect for me as well as your whole-souled cooperation to any work which as the instrument of Divine Providence I have accomplished here in Loggieville.» «Aurevoir à Loggieville 12-6-38», archives de l'auteur.
34. «To all I say that in spite of my many deficiencies, this much I can truthfully say, that I have earnestly worked in your interests. I do not wish to review the work that has been accomplished here, but what I want to emphasize once more in connection with this work is the necessity of always giving your whole-hearted support and cooperation, the best that is in you to any parochial undertaking. Cooperation is the keynote

La période d'apprentissage était terminée et l'expérience acquise à Chatham et à Loggieville l'aura marqué pour la vie. Mais il n'ira pas de gaieté de cœur fonder une paroisse à Edmundston.

---

of success to any undertaking. After all, a priest is not in a parish working for himself. He works for the people, and the people realizing this have to be loyal and generous; otherwise all priestly efforts will come to naught. Never let any frictions of any kind divide your ranks for in the words of Holy Scripture "a house divided against itself will fall". [...] I look upon all of you as personal friends: all my dealings with you have always been most friendly, and it has been a great source of encouragement to me to discharge my duties. *Ibid.*

Chapitre 5

Notre-Dame-des-Sept-Douleurs

Vers Edmundston à reculons

«Le Madawaska, au fond de ses forêts et de ses montagnes, est donc comme une petite république sagement organisée.»

Le Moniteur Acadien, Shédiac, 7 juillet 1881.

Dans son édition du 16 juin 1938, l'hebdomadaire d'Edmundston, *Le Madawaska*, titrait à la une de sa première page : «*L'ABBÉ PICHETTE CURÉ À EDMUNDSTON-EST*. La nouvelle paroisse d'Edmundston, reconnue sous le vocable de Notre-Dame-des-Sept-Douleurs, comprend cette partie de la ville située à l'est de la rivière Madawaska et du chemin de fer Canadien Pacifique; elle s'identifie avec le quartier n° 1 de la ville d'Edmundston[1].»

Sise au confluent des rivières Saint-Jean et Madawaska, ancienne bourgade des amérindiens Malécites, les premiers colons, des Canadiens français venus du Québec voisin et des Acadiens venus de Sainte-Anne-des-Pays-Bas (l'actuelle Fredericton), y fondèrent un village vers 1820 auquel ils donnèrent le toponyme descriptif de Petit-Sault à cause de la chute d'eau à la rencontre des deux rivières. Plus tard, en 1856, l'agglomération adopta le nom d'Edmundston en l'honneur de sir Edmund Walker Head, alors gouverneur du Nouveau-Brunswick avant de devenir gouverneur du Canada.

---

1. *Le Madawaska*, Edmundston, N.-B., 16 juin 1938, XXVe année, n° 25, p. 1.

Si les colons avaient été séduits par le gouverneur, celui-ci l'avait été également et leur décerna un intéressant brevet de bonne conduite. Une paroisse, placée sous le vocable de l'Immaculée-Conception, y fut érigée en 1872. Incorporée en ville en 1905, sa qualité de chef-lieu du comté de Madawaska, l'agriculture, l'exploitation forestière, ses importantes scieries et le fait que la petite ville ait été desservie par trois réseaux ferroviaires en firent un centre régional important. De 4 035 en 1921, la population était passée à 6 430 en 1931[2].

Une seule paroisse ne pouvait desservir pareille population. Dès 1928, on songea à en créer une nouvelle. Le 25 mars 1928, des citoyens du quartier n° 1 s'étaient réunis dans ce but. Une demande officielle en ce sens fut adressée à Mgr Chiasson, à Chatham, le 12 avril. Malheureusement, l'évêque ne put y donner suite étant donné le peu de prêtres dont il disposait. De plus, les circonstances économiques ne s'y prêtaient pas. Sans pour autant récuser la demande, l'évêque autorisa une collecte mensuelle et des campagnes de financement en faveur de la future paroisse. Celles-ci eurent lieu jusqu'en septembre 1929[3].

Elles reprirent au printemps de 1937, et au mois de juin de cette année, une délégation se rendit à Chatham rendre compte à l'évêque des progrès accomplis. Mgr Chiasson promit alors de démembrer la paroisse et autorisa le comité à acheter un terrain pour la future église. Le comité des finances désigné par l'évêque se composait de MM. Jim Michaud, ingénieur des chemins de fer et conseiller municipal, Michel Morin et Elzéar Ouellet, hôtelier, remplacé plus tard par M. Ernest Gagnon,

---

2. *Livre Souvenir Centenaire du Madawaska 1873-1973*, collectif, Edmundston, Imprimerie Le Madawaska, 1973. Lire également *Edmundston Nouveau-Brunswick Chef-lieu de la «République du Madawaska»*, Chambre de Commerce d'Edmundston, 1947, 124 p.
3. Pour un aperçu de la vie religieuse du Madawaska, lire Ernest Lang, *Précis d'histoire religieuse de la Vallée de la rivière Saint-Jean au Nouveau-Brunswick*, [l'auteur], Saint-Basile, N.-B., 1987, 92 p.

LE MADAWASKA

HEBDOMADAIRE ACADIEN — Toujours Mieux! — FONDE EN 1913

XXVe ANNEE — EDMUNDSTON, N.-B., 16 JUIN, 1938. — No. 25

L'ABBE PICHETTE CURE A EDMUNDSTON-EST

Mémorable congrès eucharistique diocésain à Campbellton

S. E. Mgr P.-A. Chiasson, évêque de Bathurst, préside. — S. E. Mgr Melanson, archevêque de Moncton, célèbre la messe pontificale d'ouverture. — Sermons et conférences par des orateurs sacrés distingués. — Clôture solennelle dimanche dernier.

De grandioses fêtes eucharistiques se sont déroulées dans la paroisse Notre-Dame des Neiges, Campbellton, au cours de la semaine dernière à l'occasion du congrès eucharistique du diocèse de Bathurst, en vue de la préparation au congrès eucharistique national qui aura lieu à Québec du 22 au 26 juin. Ces imposantes assises en l'honneur de Jésus-Hostie étaient sous la présidence de S. Excellence Mgr P.-A. Chiasson, évêque du diocèse, et S. E. Mgr L.-J.-A. Melanson, archevêque de Moncton, rehaussa par sa présence l'éclat de ces démonstrations religieuses.

Un nombreux clergé a pris part aux diverses cérémonies qui se sont déroulées durant ces quatre jours, du 9 au 12 juin inclusivement, et une foule nombreuse et pieuse a suivi avec un grand intérêt toutes les brillantes démonstrations en l'honneur de Jésus-Hostie.

La solennelle fête eucharistique commença le 9 juin par une messe de communion, suivie, à 10 hres par une messe pontificale chantée par S. E. Mgr Melanson archevêque de Moncton. Le sujet des sermons fut "Le Congrès National de Québec." et les prédica

Suite à la page 8

M. CLOVIS ST-AMAND, de Limestone, Me, qui a prononcé le discours d'adieu en français lors de la clôture de l'année académique au collège du Sacré-Coeur de Bathurst, mardi dernier.

Par décision de S. E. Mgr P.-A. Chiasson M. l'abbé Numa Pichette est nommé le premier curé de la paroisse Notre-Dame des Sept Douleurs. — La ville compte maintenant deux paroisses religieuses.

DON DE $5,000.00

Par décision de S. E. Mgr P.-A. Chiasson, évêque du diocèse de Bathurst, M. l'abbé Numa Pichette, ci-devant vicaire à Chatham et desservant de la population catholique de Loggieville, vient d'être nommé curé de la paroisse Notre-Dame des Sept Douleurs, Edmundston.

M. l'abbé Pichette sera le premier curé de cette nouvelle paroisse qui vient d'être érigée comme telle par Son Excellence Monseignur Chiasson par un décret dont la lecture a été donnée dimanche dernier en l'église Immaculée Conception d'Edmundston, par M. l'abbé W.-J. Conway curé de la paroisse.

La nouvelle paroisse d'Edmundston, reconnue sous le vocable de Notre-Dame des Sept Douleurs, comprend cette partie de la ville située à l'est de la rivière Madawaska et du chemin de fer Canadien Pacifique; elle s'identifie avec le quartier No 1 de la ville d'Edmundston.

M. l'abbé Pichette, fils de M. et

Suite à la page 8

Le Madawaska sera bien représenté au congrès de Québec

Le congrès eucharistique national s'ouvre à Québec mercredi prochain pour se terminer le 26 juin. — Une excursion, organisée pour tous ceux qui désirent se rendre au congrès. — L'autobus de St-François fera également le voyage. — Quelques renseignements.

M. FRANCIS ROSS, de Lewisville, N.-B., a prononcé le discours d'adieu en anglais aux exercices de fin d'année au collège du Sacré-Coeur de Bathurst, mardi dernier.

C'est mercredi prochain, le 22 juin, qu'aura lieu l'ouverture solennelle du congrès eucharistique ntional canadien dans la ville de Québec. Ces démonstrations grandioses en l'honneur de Jésus-Hostie marqueront une nouvelle page de l'histoire religieuse du Canada. De toutes les parties du Dominion des dignitaires ecclésiastiques, un nombreux clergé régulier et séculier de même que des milliers de fidèles se réuniront dans la Vieille Capitale de Québec pour rendre au Roi des rois les hommages de la population canadienne.

Ainsi que nous l'annoncions tout récemment, Sa Sainteté Pie XI, glorieusement régnant, a daigné confier au cardinal-archevêque de Québec, Son Eminence le cardinal Villeneuve, l'auguste mission de le représenter comme son ALTER EGO, en qualité de légat A LATERE, au congrès eucharistique national.

Nous apprenons que le comté de Madawaska sera dignement représenté à ses assises eucharistiques, car en plus des membres du clergé et des fidèles qui se rendront à Québec en automobile à cette occasion une excursion partant d'Emundston

Suite à la page 8

Un cinquième de la population du N.-B. aux Ecoles

Dans un discours prononcé hier soir à la radio, l'hon. A. P. Paterson, ministre de l'Education et des Relations Fédérales et Municipales, parle des activités de son département.

Parlant à la radio, hier soir, et poursuivant la série de discours commencée récemment par des membres du gouvernement provincial, l'hon. A.-P. Paterson, ministre des l'Education et des Relations Fédérales et Municipales pour le Nouveau-Brunswick, a fait un bref résumé des activités de son département depuis l'avènement du présent gouvernement au pouvoir.

Dans la première partie de son discours, l'orateur parla des différentes sortes de gouvernements existant au Canada soit le fédéral, le provincial et le municipal et de leurs pouvoirs respectifs.

Abordant le sujet de l'éducation,

Suite à la page 8

Trois ordinations ce matin à Edmundston

S. Ex. Mgr l'évêque de Bathurst a élevé à la prêtrise ce matin l'abbé George Miller d'Edmundston, l'abbé Nérée Levesque de St-André et l'abbé Sullivan de Grand'Anse. — Cérémonie qui réunit un grand nombre de fidèles.

Les fidèles de la paroisse Immaculée-Conception d'Edmundston ont été témoins d'une des plus belles cérémonies religieuses de l'Eglise, ce matin, alors que Son Excellence Mgr P.-A. Chiasson, évêque de Bathurst, a conféré le sacrement de l'Ordre à trois jeunes lévites. La cérémonie s'est déroulée cet avant-midi dans l'église paroissiale en présence d'une foule considérable de fidèles.

Les nouveaux prêtres sont: M. l'abbé George Miller, un enfant de la paroisse, fils de M. Charles Miller, de la rue Queen; M. l'abbé Nérée Lévesque, fils de M. Alfred-B. Levesque de St-André de Madawaska, et M. l'abbé Sullivan de Grand'Anse.

L'abbé Miller est le deuxième enfant de la paroisse à recevoir l'onction sainte à Edmundston, le premier ayant été l'abbé J.-B. Thibeault, curé actuel de Kedgwick et dont on fêtait récemment les noces d'argent sacerdotales. L'abbé Miller a fait ses études classiques au collèges au collège St-Thomas de Chatham et à l'Université d'Antigonish où il remporta les plus grands succès. Il fit ses études théologiques au Grand Séminaire du Saint-Coeur de Marie à Halifax.

L'abbé Levesque appartient à l'une des belles familles de Saint-

Suite à la page 8

UN CITOYEN BIEN CONNU EST DECEDE

M. Jérôme Hébert est décédé subitement jeudi dernier. — A St-Basile. — Employé du département du fret à la gare du Canadien National à Edmundston. — Agé de 51 ans et 8 mois. — Funérailles samedi matin.

Une lourde épreuve vient de s'abattre sur une famille avantageusement connue à St-Basile et dans notre comté par la mort de M. Jérôme Hébert, époux de Ida Lee, décédé subitement à St-Basile jeudi dernier, le 9 juin. Après le souper M. Hebert, qui était employé au département du fret à la gare du Canadien National à Edmundston, alla travailler dans son jardin et c'est vers les 7 heures du soir qu'on le trouva privé de vie. Il était âgé de 51 ans et 9 mois.

Pour pleurer sa perte il laisse, en outre de son épouse, un fils, Roméo; une fille, Marcella; trois frères, Stevens et Baptiste Hébert de St-Basile, Michel Hébert de Band, Oregon; quatre soeurs. Mme Wil-

Suite à la page 9

M. L'ABBE N. PICHETTE, ci-devant vicaire à Chatham, qui, par décision de S. E. Mgr P.-A. Chiasson, devient le premier curé de la paroisse Notre-Dame des Sept Douleurs, Edmundston.

Importants travaux de voirie dans la province en 1938

Le Département des Travaux Publics accorde un contrat à la Dexter Construction Co. pour préparer la route de St-Hilaire sur une distance de 12 milles à l'ouest d'Edmundston en vue du pavage. — Contrat au montant de $175,850. — 9 autres contrats dans différentes parties de la province.

Fredericton, N.-B. — Continuant son programme en vue de doter la province du Nouveau-Brunswick d'un réseau de routes à surface dure pour éliminer le danger de la poussière, offrir plus de sécurité et plus de confort aux automobilistes et attirer les touristes dans la province tout en faisant bénéficier notre population de routes de première qualité, le gouvernement provincial vient d'accorder 9 contrats pour la réparation de 96 milles de nos routes afin de les préparer pour le pavage dans un avenir rapproché et un autre contrat pour le pavage de 18 milles.

Parmi ces nouveaux contrats il y en a un qui intéresse tout particulièrement la population de notre comté puisqu'il a été accordé à la Dexter Construction Co pour la réparation de la route Edmundston-Clair sur une distance de 12 milles à partir de la ville d'Edmundston afin de la préparer à recevoir une surface bitumeuse. Les travaux sur cette route sont déjà commencés et le contrat se chiffre à $175,850.

AUTRES CONTRATS

Les neuf autres contrats ont été accordés aux endroits suivants :

St-Croix-Thomaston Corner, 17 milles: Currier Construction Company, $249,970

Suite à la page 9

ORDINATION A GROS PIN LE DIX-NEUF JUIN

A la chapelle des RR. PP. Eudistes. — S. E. Mgr Langlois présidera. — Ordres majeurs et mineurs. — Le R.P. Francis Bourque, fils de l'échevin et de Mme John Bourque d'Edmundston, au nombre des ordinands.

Dimanche, dix-neuf juin, aura lieu dans la chapelle des Pères Eudistes de Gros Pin, une cérémonie d'ordination.

Son Excellence Mgr J.-Alfred Langlois, évêque de Valleyfield, présidera cette cérémonie et conférera à plusieurs scolastiques de ce Séminaire, les ordres de la prêtrise, du sous-diaconat et de portiers et de lecteurs.

Seront élevés au sacerdoce les Pères Jean-Paul DeGrâce, de Bathurst, N.B. et Joseph Potvin de Chandler, Gaspé.

Trois séminaristes recevront le sous-diaconat, les Pères Joseph Jones, de Lamèque, N.B. Raoul Martin, de Pointe au Père, P.Q. et Y-

Suite à la page 9

Première page de l'hebomadaire *Le Madawaska*, d'Edmundston, N.-B., en date du 16 juin 1938, annonçant la création de la nouvelle paroisse à Edmundston-Est.

membre de la commission scolaire[4]. Le 17 août 1937, Mgr Chiasson plaça la nouvelle paroisse sous le vocable de Notre-Dame-des-Sept-Douleurs. L'évêque, qui avait une vive dévotion pour la Vierge, la donnait aussi souvent qu'il le pouvait comme patronne sous divers vocables aux paroisses fondées durant son épiscopat[5].

Du XIe au XIVe siècle, la Vierge au pied de la croix de son fils fit l'objet d'une vénération toute spéciale. Au XVe siècle, on en vint à identifier sept douleurs propres à la mère du Christ dont l'une en particulier est abondamment représentée dans l'iconographie chrétienne; c'est la douleur de Marie tenant sur ses genoux le corps du crucifié. Dès 1668, la fête liturgique de la Vierge des sept douleurs était célébrée par les Servites, et cette dévotion fut étendue à toute l'Église par le pape Pie VII en 1814.

En septembre 1937, l'abbé Pichette eut la surprise de rencontrer à l'évêché de Chatham M. Pierre Fraser, d'Edmundston. Tous deux se connaissaient car monsieur Fraser avait habité Campbellton, où il était conducteur de chemin de fer. Il venait solliciter une rencontre avec l'évêque pour lui souligner l'urgence d'avoir une nouvelle paroisse à Edmundston.

L'abbé Pichette l'attendit à sa sortie de l'appartement de l'évêque et lui demanda ce qui s'était passé. «Il s'est passé que Mgr Chiasson m'a dit qu'il était satisfait du travail qui a été fait jusqu'à présent. Il nous a autorisé à acheter un terrain pour la construction d'une église, d'un presbytère et d'une salle paroissiale, et il a ajouté que l'an prochain, nous aurons un curé[6].»

---

4. *25 années de vie paroissiale 1938-1963 Notre-Dame-des-Sept-Douleurs Edmundston-Est, N.-B.*, Edmundston, N.-B., Le Madawaska Ltée; et «La paroisse Notre-Dame-des-Sept-Douleurs fête son vingt-cinquième anniversaire», *Le Madawaska*, deuxième section, Edmundston, jeudi 20 juin 1963.
5. Entretien N. Pichette/R. Pichette, 27 décembre 1988.
6. À moins d'indications contraires, les citations relatives à la nomination de l'abbé Pichette à Edmundston-Est proviennent toutes d'entretiens N. Pichette/R. Pichette, le 26 décembre 1988 et le 3 septembre 1990.

Les papotages entre ecclésiastiques désignèrent vite l'abbé Pichette pour cette fondation. Son frère, Albert, était déjà installé à Edmundston depuis 1935, où il avait repris le cabinet juridique de l'honorable J.-Énoïl Michaud, député fédéral qui venait d'être nommé ministre des Pêches du Canada. Comme la rumeur avait cours également à Edmundston, il lui en avait fait part au cours d'une visite qu'il lui fit à Chatham. Un confrère, l'abbé – plus tard monseigneur – Livain Chiasson, qui devait fonder et animer le mouvement coopératif acadien, de passage à Chatham, lui avait dit : «Pichette, c'est toi qui vas aller à Edmundston. L'évêque ne m'a pas dit un mot mais je pense que ce sera toi, d'après ce que j'entends dire.»

Au début de juin 1938, l'abbé Burns, qui était l'un des consulteurs de l'évêque, revint d'une réunion des conseillers à Bathurst. Il informa son vicaire qu'il rapportait beaucoup de nouvelles, mais qu'il était tenu au secret. Toutefois, il l'informa que l'évêque convoquait l'abbé Pichette pour le lundi suivant. On était jeudi. «Alors j'ai pensé un peu à mon affaire et je lui ai demandé s'il avait des objections à ce que je rencontre l'évêque le lendemain plutôt que le lundi suivant.» L'abbé Burns, avec qui l'abbé Pichette s'entendait très bien, n'avait pas d'objection. «J'ai donc téléphoné à Mgr Chiasson qui m'a dit : "Dame, dame! si ça fait mieux votre affaire venez, cela sera très bien." J'ai loué une automobile et je suis allé prendre le dîner avec lui et c'est à ce moment qu'il m'a annoncé qu'il me nommait ici. Je ne m'attendais pas à cela. Étant donné que je revenais de Rome avec un diplôme en droit canon, je pensais que l'évêque me garderait autour de Chatham ou à Bathurst, dans la ville épiscopale, pour que je puisse prendre part aux affaires du diocèse, mais il n'en a pas été ainsi.»

Tant s'en faut! Le curé désigné essaya de convaincre son évêque qu'il n'était pas l'homme de la situation : «J'ai sorti tous les arguments possibles et imaginables pour ne pas venir ici parce que je n'aimais pas le Madawaska. Le Madawaska fournissait beaucoup de prêtres et de séminaristes au diocèse de Bathurst. De plus, beaucoup disaient que ça prenait un Madawaskayen pour être curé au Madawaska. Je ne connaissais pas le Madawaska, mais je savais que les étrangers n'y étaient pas trop les bienvenus. J'avais entendu parler un peu de leur mentalité. Or, je n'avais pas cette mentalité.»

Mgr Eymard Desjardins, P.A., troisième curé de la paroisse cathédrale, a, mieux que plusieurs, décrit le Madawaska comme un «pays» difficile à cerner :

> Celui qui visite le Madawaska pour la première fois en éprouve presque toujours un certain choc. Attiré et rebuté à la fois, par une population qu'il juge tantôt accueillante, tantôt distante, il prendra du temps à s'y reconnaître. Mais s'il accepte de faire l'effort voulu, en général il aimera le «pays» et s'y attachera.
>
> Cet état de chose ne devrait pas nous surprendre. Car il y a belle lurette que nous constituons une espèce d'énigme et pour les étrangers et pour nous-mêmes...
>
> [...] Les origines ethniques demeurent un facteur déterminant. Les premières familles acadiennes dans leur rôle de pionnières ont apporté avec elles un passé riche en traditions de foi chrétienne, qu'elles ont défendues contre des obstacles incroyables. Cette foi n'avait d'égale que la ténacité tranquille avec laquelle elles l'ont conservée jusqu'à nos jours. Mais il reste que le milieu sera vite envahi par une forte immigration venue du Québec, au point où les Canadiens français forment de loin l'immense majorité. On aime à dire que le madawaskayen a hérité de ces derniers un certain esprit d'initiative qui, allié à une «sainte manie» de réclamer bruyamment son dû, le rend parfois peu commode pour des voisins plus conciliants[7]...

Il y avait également la très forte personnalité de l'abbé W. J. Conway, curé de l'Immaculée-Conception depuis 1908, et qui le restera jusqu'en 1961. Figure dominante des affaires tant civiles qu'ecclésiastiques dans le nord du diocèse, il sera fait prélat domestique en 1943, deviendra le premier vicaire général du nouveau diocèse d'Edmundston en 1945, sera élu vicaire capitulaire à la mort de Mgr Marie-Antoine Roy, le premier évêque, en 1948. Son successeur, Mgr J. Roméo Gagnon, en fera aussi son vicaire général et lui fera accorder par Rome le titre

---

7. Eymard Desjardins, ptre, *L'Église d'Edmundston Réflexions*, Edmundston, Imprimerie Marquis Ltée, Montmagny, 1982, p. 27.

de protonotaire apostolique. Bref, le curé d'Edmundston dont on amputait la paroisse pour en créer une nouvelle était une puissance que sa renommée précédait[8].

Cette réputation, l'abbé Pichette la connaissait et la redoutait. Il employa un autre argument auprès de l'évêque pour ne pas aller au Madawaska :

«Je suis trop jeune pour aller au Madawaska, Monseigneur, pour commencer la construction d'une église, surtout avec l'abbé Conway. Je ne le connais pas, ne l'ayant rencontré qu'une seule fois. On me dit qu'il est difficile de s'entendre avec lui.»

Bien pis, des prêtres du Madawaska avaient laissé courir le bruit «que l'évêque m'envoyait ici pour remplacer l'abbé Conway. Comme quoi j'aurais eu la tête du curé de l'Immaculée-Conception!» Mais Mgr Chiasson avait été impressionné par les talents d'organisateur et de bâtisseur que l'abbé Pichette avait déployés à Loggieville.

– Vous avez très bien réussi à Loggieville.

Mgr Chiasson n'était pas flatteur. Il ne fallait pas s'attendre à avoir des félicitations tout le temps!

– Eh bien! Monseigneur, j'ai réussi malgré que nous ne nous sommes pas toujours bien entendus. La situation n'est pas la même. Vous m'envoyez à deux cents milles de vous; vous ne savez même pas où se trouve la paroisse ni le nombre de paroissiens qu'elle doit contenir. Je m'en vais là comme un étranger.»

Ce n'étaient pas les seuls arguments :

> – L'argument principal, Monseigneur, je n'ose pas vous le dire.
>
> – Dame, dame! parlez.
>
> – Monseigneur, je ne veux pas vous offenser et encore moins vous insulter. Je ne voudrais pas perdre l'amitié de mon évêque, je suis un jeune prêtre qui commence.

---

8. Sur sa vie, lire Florence Alvetta Comeau, *Mgr William John Conway*, Montréal, Imprimerie Filles de Saint-Paul, 1965, 111 p.

> – Allez, dame, dame! parlez!
>
> – J'ai peur de ne pas être capable de vous plaire, car vous êtes un homme difficile à satisfaire.
>
> Je lui ai dit ça littéralement. Il a rougi jusqu'au bout des oreilles. Je croyais qu'il allait éclater.
>
> – Bon, dame, dame! écoutez-moi bien. Allez démarrer ça. Dans une dizaine d'années vous reviendrez peut-être. Faites ce que vous devez faire pour les débuts et ce que vous ferez m'ira.
>
> – Ai-je bien entendu, Monseigneur?
>
> – Naturellement, si j'ai des observations à vous faire, je vous les ferai dans l'espérance que vous les accepterez de bon gré. Je veux que vous soyez à Edmundston le 15 juin.

Le nouveau curé n'avait qu'à se soumettre, ce qu'il fit en lui disant : «Monseigneur, j'accepterai vos observations de bon gré, mais le jour où vous penserez que je ne fais pas bien vos affaires, que ça ne va pas, ne prenez pas la peine de m'écrire une lettre. Nous serons à 200 milles de distance. Prenez le téléphone et demandez ma démission que je vous donnerai sur le champ. Je ne tiens pas à aller là plus qu'il le faut, Monseigneur. Vous ne me faites pas une faveur en m'envoyant là, pas du tout! Mais je vais faire tout mon possible pour vous plaire.» Dire de Mgr Pichette qu'il eut toujours son franc-parler serait un euphémisme!

Mgr Chiasson avait la réputation d'être un homme sévère depuis son supériorat du collège Sainte-Anne. Ainsi, le père Léopold Laplante, c.j.m., écrivait : «Quoique le Père Chiasson fût d'origine canadienne, il faut le mentionner ici parce que par son éducation et sa formation, il épousait le même esprit que les Pères venus de France. [...] Comme préfet de discipline il était de la première école des Pères français. Plus tard il n'aimait pas qu'on lui rappelle ses années comme préfet : il avouait très candidement qu'il avait exagéré du côté de la discipline[9].»

---

9. Léopold LaPlante, c.j.m., *Chronique du collège Sainte-Anne. Les pères Eudistes au service de l'Église et de la communauté*, Pointe-de-l'Église, Université Sainte-Anne, 1986, p. 42 -43.

Le 15 juin était un mercredi, et l'évêque devait se rendre le 16 à Edmundston pour y ordonner trois prêtres, les abbés George Miller (maintenant monseigneur), d'Edmundston[10], Nérée Lévesque, de Saint-André, et Duncan Sullivan, de Grande-Anse[11]. L'abbé Pichette se mit en route le mardi 14 juin, coucha chez ses parents à Campbellton, pour arriver à Edmundston le 15 comme le lui avait commandé l'évêque.

Mis à part son frère Albert, sa belle-sœur Mary Ann et son neveu Robert, l'abbé Pichette ne connaissait que M. Pierre Fraser, déjà rencontré, et qui avait été l'un des principaux artisans de l'établissement de la nouvelle paroisse. Il connaissait aussi un peu l'abbé Benjamin Saindon (1894-1948), ancien vicaire à Chatham et curé de Saint-Basile depuis 1932, à qui il rendit visite avant d'atteindre Edmundston. L'évêque lui avait suggéré de descendre à l'hôtel, mais le curé trouvait cela peu seyant pour un prêtre. Il préféra se rendre au presbytère de l'Immaculée-Conception. Mgr Chiasson s'y trouvait, accompagné de son secrétaire, l'abbé Lucien Saindon (1908-1967).

L'accueil par l'abbé Conway fut chaleureux et généreux. Pourtant, après le dîner, et en présence de l'évêque, l'abbé Conway, «homme très cachottier, répondait évasivement à mes questions et ne pouvait même pas nous donner la population qu'il y avait ici!» L'imprécision et l'ambiguïté caractérisaient de façon notoire le curé de l'Immaculée-Conception. Naturellement, le nouveau curé n'était pas très enthousiasmé par ce début, ce qui n'échappa pas à l'abbé Conway qui le lui fit remarquer : «Non, je ne suis pas enthousiaste; je ne le suis pas du tout, et si demain matin l'évêque veut me ramener avec lui j'irai de bon cœur.» Il n'en fut évidemment pas question, et le lendemain l'abbé Pichette agissait comme diacre lors de l'ordination des trois nouveaux prêtres.

---

10. Né à Edmundston en 1908, il occupa plusieurs cures dans le diocèse de Bathurst, dont celle de Belledune. Élevé à la dignité de prélat domestique en 1979.
11. «Trois ordinations ce matin à Edmundston», *Le Madawaska*, Edmundston, N.-B., 16 juin 1938.

Par ailleurs, le curé Conway résolut rapidement le problème de l'hébergement : «Tu vas rester ici. On va te donner la chambre de l'évêque en haut, avec une salle de bains complète, un bureau et une chambre à coucher. Je pense que tu seras très bien ici!» En effet, il apprécia l'hospitalité, y restant deux mois, jusqu'au 24 août.

Si, de nos jours, on se demande pourquoi les presbytères d'antan étaient si vastes – et celui de l'Immaculée-Conception a des airs de château –, c'est qu'ils servaient à héberger un ou deux vicaires et que l'on y accueillait le clergé en visite. De plus, comme l'expliquait Mgr Pichette, «c'était la coutume dans ce temps-là, étant donné que l'évêque venait faire la confirmation tous les trois ans, d'avoir de grands presbytères parce qu'il y fallait la chambre de l'évêque et ce n'était pas n'importe qui, qui pouvait l'occuper!»

Pour l'heure, il était logé. «Mais, dira-t-il, tout restait à faire. Il n'y avait rien ici.»

Les débuts d'une paroisse

Edmundston ne jouissait pas d'une réputation de moralité excessive. Un quartier était connu sous l'appellation peu flatteuse de «Bagosse», du nom de l'alcool frelaté dans des alambics illégaux que l'on y trouvait, paraît-il en abondance. L'autre, Edmundston-Est, le quartier n° 1 précisément, était connu sous l'appellation de «Happy Corner», c'est-à-dire le Joyeux Quartier. «La réputation du quartier n'était pas très honorable. On y trouvait des débits de boisson et des salles de danse.» Tout cela devait changer avec la création de la paroisse et sous la direction d'un curé énergique et vigilant qui n'avait pas la langue dans sa poche!

Si tout était à faire, les bonnes volontés, cependant, ne manquaient pas. Lors du 25e anniversaire de la paroisse, Mgr Pichette se remémorait les débuts difficiles :

> Lorsque le 19 juin 1938 je prenais possession de la paroisse et que je vous rencontrais pour la première fois au sous-sol de l'Immaculée-Conception qui nous servait

> d'église, je vous demandais de me faire confiance et de collaborer généreusement avec moi, votre curé. Nous avions une œuvre à accomplir, et le temps pressait; il fallait agir vite. Nous étions encore en pleine crise financière et l'argent était rare. Toutefois, je me sentais encouragé; l'accueil chaleureux que vous me réserviez, vos marques de respect et la promesse de travailler avec moi, étaient suffisants pour me rassurer et me lancer à l'action[12].

L'abbé Conway avait mis le sous-sol de son église, la future cathédrale, à la disposition temporaire des fidèles de Notre-Dame-des-Sept-Douleurs. Ce dimanche 19 juin était l'anniversaire de son ordination sacerdotale. Il avait trente-deux ans. Le comité désigné par Mgr Chiasson n'avait pas perdu son temps. Les souscriptions financières entreprises plus tôt, ainsi qu'un généreux don de 5 000 $ de la paroisse Immaculée-Conception[13], leur avait permis d'acheter un vaste terrain ainsi qu'une maison appartenant à M. Joseph Plourde situés entre les rues Victoria et Martin.

L'Ordre Social, hebdomadaire de l'archidiocèse de Moncton, fondé par Mgr Melanson, avait fait état de la fondation de la nouvelle paroisse par son protégé. Le journal, après avoir fait l'historique à grands traits des démarches entreprises autour de cette fondation, estimait que la nouvelle paroisse naissait sous les auspices les plus favorables[14].

Le 27 juin, les travaux de réfection et d'agrandissement de la maison devant servir de presbytère commencèrent. Le 4 juillet débutaient les travaux de construction de la salle-église qui devait servir de lieu de culte et de réunion aux organismes paroissiaux jusqu'à ce que des structures permanentes puissent être érigées.

Pour l'église temporaire, l'abbé Pichette utilisa le même plan que pour Loggieville tout en agrandissant légèrement l'édifice :

---

12. «Un mot de Monseigneur le curé...», *25 années de vie paroissiale, op. cit.*
13. *Le Madawaska*, Edmundston, N.-B., 16 juin 1938.
14. «Nouvelle paroisse à Edmundston», *L'Ordre Social*, vol. I, nº 44, Moncton, N.-B., 26 juin 1938.

La salle-église de la paroisse Notre-Dame-des-Sept-Douleurs, à Edmundston-Est, peu après sa construction. À l'arrière-plan, le premier presbytère et, au fond, la papetière Fraser. (Photo *Le Madawaka*).

137 pieds de long sur 52 de large. «Ici, j'ai fait une erreur. On m'avait dit qu'il y avait des scouts dans la paroisse, alors j'ai fait faire une petite rallonge sur le côté. La partie basse servait aux scouts, celle du haut de salle paroissiale avec un escalier pour relier les deux paliers.» L'abbé Conway avait recommandé comme entrepreneur un M. Nesbitt, «qui comprenait un peu le français». Un M. Charron, charpentier ébéniste de Saint-Jean-Baptiste, près de Kedgwick, fit le maître-autel et les autels latéraux.

Le presbytère, lui, demandait une attention particulière. La vieille maison délabrée n'avait ni cave, ni escalier, ni salles de bains, ni toilettes. De plus, elle était trop exiguë. «J'ai fait construire une rallonge de dix pieds où j'avais un piano, puis une salle à manger et une salle de bains.» Mgr Chiasson l'avait autorisé à emprunter 12 000 $, «et avec les quelques milliers de dollars qu'il y avait en banque, je me suis arrangé pour payer les travaux. Monseigneur voulait que la paroisse achète un réfrigérateur, mais je n'avais plus un sou. C'est M. Georges

Le premier presbytère, ancienne propriété de M. Joseph Plourde, aggrandie et renovée par l'abbé Pichette.

Beaulieu qui m'en a donné un. J'avais acheté une fournaise ainsi que la table. Dans un petit corridor, j'avais du bois pour l'hiver et j'ai fait construire un garde-manger pour garder des légumes, des patates, des confitures, ainsi de suite, au frais.»

Entre-temps, le curé avait fait une première visite paroissiale dans le double but de rencontrer ses paroissiens et de pouvoir en évaluer le nombre. Il dénombra 440 familles, soit 2 333 âmes.

Les travaux de construction sur deux fronts, la salle-église et le presbytère, furent menés si rondement que le curé put emménager le 23 août 1938, juste à temps pour accueillir Mgr Chiasson venu en tournée de confirmation. Comme la salle-église n'était pas encore prête, l'évêque confirma 600 enfants de la nouvelle paroisse à l'Immaculée-Conception. Bien entendu, l'évêque visita le presbytère et ne manqua pas de noter le garde-manger aménagé par le curé : «Vous êtes un homme prévoyant, je vous félicite», lui dit-il. Mgr Chiasson se déclara satisfait de tout ce qui avait été fait en six mois. «C'était un bon début», dira Mgr Pichette. La maison agrandie et rénovée servira de presbytère jusqu'en 1957.

La salle-église, elle, fut bénite par le curé le dimanche 23 octobre. La cérémonie s'était déroulée avant la messe de 8 h célébrée par le vicaire, l'abbé Éloi Martin. Il y eut plus de solennité lors de la grand-messe de 10 h, comme le rapporte *L'Ordre Social* :

> Une grande foule de personnes, composée des paroissiens de Notre-Dame-des-Sept-Douleurs et aussi d'un bon nombre de ceux de la paroisse-mère de l'Immaculée-Conception, avait envahi bien avant le temps le temple paroissial pour la grand-messe solennelle de 10 heures. Remplie à capacité, l'église était devenue trop petite pour la circonstance. Au prône, M. l'abbé Pichette remercia chaleureusement M. l'abbé Conway, curé à l'Immaculée-Conception, et ses paroissiens de toutes les marques d'estime qu'ils ont manifestées au curé et aux paroissiens de Notre-Dame-des-Sept-Douleurs. M. l'abbé Conway donna le sermon de circonstance. En termes choisis et appropriés, il fit une revue des labeurs accomplis, félicita les paroissiens pour le beau travail réalisé et les encouragea à continuer l'œuvre si bien commencée[15].

Le curé avait coiffé sa modeste église temporaire d'un non moins modeste clocher, ce qu'il n'avait pu faire à Loggieville. La cloche provenait du Congrès eucharistique national qui avait eu lieu à Québec en juin de la même année. Elle fut bénie solennellement par l'abbé Conway, mandaté par l'évêque, le même dimanche à 7 h 30, au cours du salut du Saint Sacrement qui rassemblait de nouveau une grande foule «pour assister à la bénédiction de la cloche, cette cloche qui sera dorénavant la voix de la paroisse, chantera ses joies et dira ses deuils», écrivait *L'Ordre Social*[16].

Le sermon de circonstance – le deuxième de cette journée! – fut donné par l'abbé Benjamin Saindon, curé de Saint-Basile,

15. «Belles cérémonies à Edmundston-Est», *ibid.*, vol. II, n° 12, p. 6, Moncton, N.-B., 1er novembre 1938.
16. *Ibid.*

qui avait choisi de parler des «Voix de la cloche». Ainsi s'organisait, en un temps record, la vie paroissiale à Edmundston-Est.

Le nouveau curé avait été beaucoup secondé par ses paroissiens. À titre d'exemple de désintéressement généreux, il se rappelait qu'ayant fait part de ses projets de presbytère et de salle-église à M. Jim Michaud, celui-ci craignait que ce ne fût trop grand pour la paroisse. Mais le curé avait fait son recensement et il se fiait à son expérience de Loggieville.

Mgr Pichette aimait se rappeler ce que M. Michaud lui avait dit au cours des travaux : «N'oubliez pas une chose : c'est vous qui êtes le curé, pas nous, et la paroisse est derrière vous à cent pour cent. Si quelqu'un vous fait des difficultés, dites-le-moi, j'irai le voir. Seulement, je vais me réserver le droit, si on peut appeler ça un droit. Les lundis matin, avant de prendre mon train, j'irai faire un petit tour pour vérifier les travaux du presbytère.» Ce qu'il fit régulièrement.

L'école Notre-Dame et les Filles de Marie-de-l'Assomption

Pour le curé Pichette, une paroisse sans école où s'enseigneraient les valeurs morales catholiques, était impensable. On pourra lire en annexe de ce livre la pensée maîtresse de Mgr Pichette sur ce sujet. Dès les débuts de la paroisse, la question se posa. Il existait une école de quatre classes dans le quartier, l'école Sainte-Marie, nettement insuffisante, car la population augmentait et les enfants devaient aller ailleurs. De plus, le curé souhaitait l'établissement le plus tôt possible des Filles de Marie-de-l'Assomption dans sa paroisse.

La question de l'enseignement en français aux francophones, et non pas de l'enseignement dit bilingue, faisait depuis longtemps, à Edmundston, l'objet de tous les soins d'éminents nationalistes tels J.-Gaspard Boucher, le docteur A.-M. Sormany, le docteur P.H. Laporte et Calixte-F. Savoie, pour ne mentionner que ceux-là.

Gaspard Boucher devait devenir député puis ministre du gouvernement du Nouveau-Brunswick avant de devenir député fédéral. Propriétaire de l'hebdomadaire *Le Madawaska*, il pourfendait d'une plume alerte le système scolaire provincial dans les pages de son journal, secondé par le docteur Sormany, qui fut de tous les mouvements acadiens, de toutes les luttes pour lesquelles il ne ménageait ni ses efforts ni sa plume.

Calixte Savoie, plus tard sénateur et directeur général de la Société mutuelle l'Assomption – il en fut aussi le président – avait été le directeur de la nouvelle école supérieure d'Edmundston, directeur des cours du soir et surintendant des trois écoles de la ville!

Le petit groupe, connu sous le nom de La Petite Boutique, fit un travail énorme, souvent contesté, même par les Acadiens bon-ententistes à tout prix. Il suffit, pour se convaincre de l'ampleur de leurs travaux, de lire les mémoires du sénateur Savoie[17].

Lors de sa première rencontre avec les citoyens d'Edmundston, à la salle des Chevaliers de Colomb, le docteur P.H. Laporte, qui était député à l'Assemblée législative et ministre de la Santé, avait clairement indiqué l'urgence de construire une nouvelle école et que celle-ci devrait être dans la nouvelle paroisse. En même temps, il signalait que les commissaires scolaires étaient très divisés entre eux et que leurs différentes allégeances politiques y étaient pour quelque chose.

La commission scolaire, à l'époque, était composée de M. Paul Dubé, qui se fera élire plus tard député sous l'étiquette libéral-indépendant mais qui, en réalité, était plus à l'aise chez les Conservateurs; de M. Denis M. Martin, un paroissien, et de M. T.M. Richards, un protestant qui sera candidat conservateur pour un siège de député à l'Assemblée législative du Nouveau-Brunswick lors de l'élection générale de 1939[18].

Selon Mgr Pichette : «Paul Dubé et Denis Martin, c'était chien et chat, l'eau et le feu; ils ne se parlaient même pas. Quant à

17. Calixte-F. Savoie, *Mémoires d'un nationaliste acadien*, Moncton, N.-B., Éditions d'Acadie, 1979, 355 p.
18. *Centenaire du Madawaska, op. cit.*, p. 111.

Richards, il faisait la navette. De temps en temps, il était avec Paul Dubé et, de temps en temps, il était avec Denis Martin.» Ce dernier avait été élu surtout avec la connivence de la minuscule minorité anglophone d'Edmundston contre le docteur Laporte.

Or, le ministre Laporte avait bien dit au curé qu'il fallait régler la question le plus tôt possible parce qu'une décision sur le site était imminente. Il était alors question de construire une école sur un terrain à proximité de l'actuel Forum d'Edmundston. Le curé trouvait plus pratique que l'école soit située sur la rue Martin, tout près du centre de la paroisse en développement.

Il n'eut pas de difficulté à convaincre le commissaire Martin; encore fallait-il que le terrain soit acheté. Comme il appartenait à M. Joseph Plourde, de qui les terrains pour l'église et le presbytère avaient été achetés, le curé réussit à obtenir une option sur le terrain visé le 1er juin 1939, mais il fallait le convaincre de vendre à la commission scolaire : «Mais le temps passait. De temps à autre, M. Plourde était d'accord pour vendre, mais sa femme était contre. À un moment donné, j'ai réussi à les mettre d'accord tous les deux.»

Monsieur Martin s'était chargé de la bataille politique. La commission scolaire ne voyait pas grand; elle ne songeait qu'à acheter deux acres de terrain. Il leur conseilla d'acheter toute la terre, qu'ils pourraient avoir pour une chanson, car les terrains, à l'époque, n'avaient aucune valeur. «Ils m'ont rétorqué que ça n'avait pas de bon sens, mais moi je leur ai dit qu'on n'aurait jamais assez de terrain; on n'en a jamais assez!» La différence du prix n'était que de 4 000 $.

À la guerre comme à la guerre, il fallut manœuvrer : l'abbé Pichette dit à Denis Martin : «Monsieur Martin, si vous entendez dire que je dis des choses désagréables sur votre compte, ne prenez pas ça au sérieux. Utilisez les arguments que vous voudrez pour avoir le terrain; c'est celui-là qu'il vous faut. Je veux avoir l'école ici. Je veux avoir des religieuses à nous autres.»

Il l'obtint «après bien des difficultés, bien des attentes[19].» Restait à déterminer les dimensions de l'édifice. Quelle population scolaire l'occuperait? Le curé fit une rapide visite paroissiale et en vint à la conclusion qu'il fallait construire une école de quinze classes. Étonnement de M. Martin et des commissaires. Le président, M. Dubé, estimait qu'une école de huit classes suffirait.

«Vous allez la remplir de dix ou onze classes au départ et d'ici cinq ans, elle sera trop petite», leur dit Mgr Pichette.

Le président accepta de bonne grâce et fit faire les plans de l'école Notre-Dame : «un bon plan d'école», disait Mgr Pichette.

Il lui restait deux obstacles de taille à surmonter : recevoir l'autorisation de l'évêque et obtenir des religieuses enseignantes. Entre Noël et le Jour de l'an 1938, le curé se rendit à Bathurst faire part de son projet à Mgr Chiasson qui n'était pas très enthousiaste : «Dame, dame! Vous venez d'arriver. Pourquoi susciter une question d'école?» Le curé expliqua qu'il s'agissait là d'une occasion unique qu'il ne fallait pas manquer. Mgr Chiasson finit par accepter en lui suggérant de s'adresser aux Filles de Marie-de-l'Assomption pour obtenir des religieuses enseignantes. Toutefois, il n'était pas optimiste quant au succès de la démarche, estimant que la jeune communauté disposait de trop peu de sujettes.

L'abbé Pichette, sur le chemin du retour, alla rencontrer la supérieure générale, sœur Marie-Thérèse-de-Sion (Mary Greene) :

> Elle était hospitalisée à ce moment-là à l'Hôtel-Dieu de Campbellton. J'ai demandé à la voir et aussitôt que j'ai mentionné mon projet, elle a acquiescé. Il me semble que je revois encore son beau sourire :
>
> – Combien de religieuses voulez-vous?
>
> – J'aimerais avoir cinq enseignantes, si possible, pour commencer.
>
> – Vous les aurez l'année prochaine.

19. Entrevue Rousselle/CJEM.

> C'est ainsi qu'on a eu cinq enseignantes, en plus des sœurs ménagères[20].

Au début du mois de juillet 1939, l'abbé Pichette lui adressait une demande officielle :

> Comme une nouvelle école doit ouvrir prochainement ses portes dans la paroisse Notre-Dame-des-Sept-Douleurs et que j'ai à cœur de doter la paroisse d'une communauté religieuse enseignante, je fais instance auprès de vous pour que vous m'envoyiez cinq religieuses à l'automne[21].

La mère générale lui donnait une réponse affirmative le 22 juillet :

> Nous sommes honorées de ce que vous avez bien voulu faire choix de notre petite Congrégation pour prendre la direction de votre école. Son Excellence Monseigneur Chiasson non seulement permet cette fondation, mais il la veut et la bénit de tout son cœur.
>
> Vous ne trouverez probablement pas dans nos petites sœurs les compétences et la maturité que vous aurait apportées une communauté plus ancienne, Monsieur le Curé, mais, ce que nous pouvons vous promettre, c'est de la bonne volonté, une entière bonne volonté.
>
> Soyez donc assuré, Monsieur le Curé, que nos petites sœurs suivront filialement vos sages directives et seront tout zèle pour l'œuvre que vous rêvez de poursuivre dans votre belle paroisse[22].

Le vendredi 1er septembre 1939, trois religieuses arrivaient au couvent temporaire, suivies le lendemain de trois autres.

---

20. Au moment de la rédaction de ce livre, sœur Mary Greene, f.m.a., C.M., originaire de Carleton, en Gaspésie, dernière survivante des fondatrices de sa communauté, est toujours parmi les siennes à la maison-mère de la communauté, à Campbellton. Lire Marcel Arseneau, «J'ai rencontré pour vous... Sœur Mary Greene, f.m.a.», *Bulletin de la Société historique du comté de Restigouche*, vol. 14, nº 1, mars, 1995.
21. N. Pichette à la révérende mère générale des FMA, Sœur Marie-Thérèse-de-Jésus, Edmundston, 3 juillet 1939, AGFMA, BE 2745.B122 48.
22. Sœur Marie-Thérèse-de-Jésus, supérieure générale à N. Pichette, Campbellton, 22 juillet 1939, AGFMA, BE 2725.G79L 35.

Ces pionnières étaient sœur Marie-des-Anges (Alodie Babin), supérieure et économe; sœur Rose-Marie (Bertha Goulet), assistante et secrétaire, maîtresse de classe; sœur Marie-Sainte-Cécile (Cécile Daigle), maîtresse de classe; sœur Sainte-Lucille (Lydia Martin), maîtresse de classe; sœur Marie-du-Divin-Cœur (Berthe Doucet) et enfin sœur Marie-du-Cénacle (Alice Nadeau), cuisinière.

Les débuts furent quelque peu chaotiques, comme il ressort d'une lettre de la supérieure à ses consœurs de Campbellton :

> Le cinq septembre, à l'entrée des classes, l'organisation est assez compliquée. La construction de la nouvelle école est loin d'être terminée; alors, il faudra avoir quelques classes «sous rotation» et plusieurs seront logées dans les salles ici et là. Ce système continuera jusqu'au quatre mars [1940][23].

Le curé ne s'était pas trompé sur le nombre potentiel d'élèves : à l'ouverture des classes, ils étaient 203. Vingt-cinq ans plus tard, le nombre était passé à 497 dans la seule école Notre-Dame, car les religieuses enseignèrent également à l'école Sainte-Marie. Mgr Pichette a toujours eu la plus grande estime pour les Filles de Marie-de-l'Assomption, ce qui s'explique non seulement parce qu'il avait apprécié leur dévouement et la qualité de l'enseignement offert, mais encore parce que «les Filles de Marie-de-l'Assomption, je les connaissais depuis longtemps parce que j'ai assisté à la fondation de cette communauté. C'est mon curé, Mgr Arthur Melanson, de Campbellton, qui est devenu le premier archevêque de Moncton, qui l'a fondée. [...] Puis, comme séminariste, j'étais bon ami avec mon curé, et j'allais à toutes les cérémonies qui se déroulaient à la maison-mère des Filles de Marie-de-l'Assomption, à Campbellton, et, de plus, je connaissais la supérieure générale et les principales[24].»

23. Cité dans *1922-1947 Les vingt-cinq premières années des filles de Marie-de-l'Assomption*, Campbellton, Nouveau-Brunswick, Canada, p. 136-138.
24. Entrevue Rousselle/CJEM.

Les religieuses élirent domicile dans diverses résidences de la paroisse avant d'avoir un couvent bien à elles, sur la 22e rue, en 1959. Le couvent fut construit sur un terrain qui appartenait à la commission scolaire. Une fois de plus, ce fut le curé qui l'obtint gratuitement pour les religieuses, cette fois sans être obligé de répéter la bataille de 1939. Il aimait à souligner que ce n'était plus la même commission scolaire, alors composée de huit membres, et qu'il avait obtenu la meilleure coopération de trois membres en particulier : le docteur A.-M. Sormany, président[25], Me Paul-Émile Pelletier et M. Paul Dubé, toujours commissaire. Une partie de ce terrain sera cédée plus tard par les religieuses pour l'érection des Résidences Mgr-Pichette, comme on le verra au chapitre 7.

En 1941, offrant ses vœux à Mgr Melanson dont c'était le 62e anniversaire de naissance (il devait mourir la même année), l'abbé Pichette lui avait écrit : «Le travail des petites sœurs est hautement apprécié : elles ont gagné l'estime et la sympathie de toute la population. Elles sont mes précieuses auxiliatrices[26].»

L'expression d'auxiliatrices était bien choisie car, l'école étant publique, la cathéchèse devait s'enseigner en dehors des heures normales fixées par le ministère de l'Éducation. La direction de la commission scolaire lui avait dit : «Arrangez ça avec les directeurs d'école.»

Le curé et les vicaires visitaient donc les écoles régulièrement :

«Je faisais ma part. J'y allais du mardi au vendredi, dans deux ou trois classes, et il faut se rappeler que les institutrices n'étaient pas payées pour enseigner le catéchisme. Je connaissais tous les jeunes gens, et ça c'est important. À un moment donné, j'ai dû abandonner parce que ma santé a flanché un petit peu.»

---

25. Sur l'apport du docteur A.-M. Sormany aux luttes scolaires et épiscopales acadiennes, lire sa biographie par Alexandre-J. Savoie, *Un demi-siècle d'histoire acadienne*, [l'auteur], 1976, 237 p.
26. N. Pichette à Mgr Melanson, Edmundston, 24 mars 1941, AGFMA, BC 853.M52Z 1236.

En 1963, Mgr Pichette rendra un hommage mérité aux Filles de Marie-de-l'Assomption dans une lettre à sœur Marie-de-Lourdes (Andrina Dubé), supérieure générale, en remerciement des félicitations que les religieuses lui avaient adressées à l'occasion de son élévation à la dignité de protonotaire apostolique :

> Mon association aux Filles de Marie-de-l'Assomption qui date des tout premiers jours de leur vie, le fait que j'ai le bonheur de les avoir dans ma paroisse, leurs nombreuses délicatesses à mon égard, et leur travail tout apostolique que je me plais à admirer, fait que je me sens très attaché à elles. Oui, je vous l'avoue bien candidement, j'aime votre communauté, et rien ne me fait plus plaisir que de voir l'une ou l'autre de mes filles entrer chez vous. L'œuvre fondée sur le sacrifice par votre distingué fondateur qui m'honorait de son amitié et que j'estimais comme un père, se développe comme toutes les œuvres de bien, lentement mais sûrement. Elle est bénie de Dieu : c'est évident car elle a fait ses preuves[27].

L'arrivée des religieuses dans la nouvelle paroisse, tout comme la mise sur pied d'organisations paroissiales, ne fut pas étrangère au changement qui se produisit dans le quartier dit du «Happy Corner». Il signalait ce changement d'attitude à Mgr Melanson, en 1941 : «Ici à Notre-Dame-des-Sept-Douleurs je ne puis désirer un meilleur milieu : population docile et religieuse, ils répondent bien à mes appels : aussi il y a amélioration sensible au point de vue religieux[28].»

Un jour le chef de police Herman Savage[29] lui rendit visite pour le féliciter :

«On ne reconnaît plus cette partie de la paroisse ici. Dans certaines rues, par exemple, la 45e, pour n'en mentionner qu'une, on ne comprend plus rien. Comment avez-vous fait pour transformer cette partie de la ville?»

---

27. N. Pichette à la révérende mère Marie-de-Lourdes, supérieure générale, Edmundston, 16 mars 1963, AGFMA, BE 2725.G79L 35.
28. N. Pichette à Mgr Melanson, Edmundston, 24 mars 1941, *op. cit.*
29. Premier chef de police et simultanément chef de la brigade des pompiers de 1920 à 1937.

Le curé lui répondit qu'on ne peut transformer uniquement par le travail, il y faut aussi la prière.

La fondation de la paroisse avait eu comme résultat immédiat de créer «comme une division entre l'est et l'ouest et, sans vouloir me vanter ni vanter les paroissiens, on a très bien réussi du point de vue financier et du point de vue spirituel». Cinquante ans après la fondation, lors de la bénédiction d'un nouveau développement domiciliaire dans son ancienne paroisse, il avait déclaré, sur le ton du badinage : «Quand je suis arrivé ici, il y a cinquante ans, il y avait le "Bagosse" et le "Happy Corner".»

À quelqu'un qui le taquinait en lui demandant comment allaient les choses au Happy Corner, il répondit : «Tu devrais faire attention à ce que tu dis. Il y a des tas de choses qui arrivent ici. Où est le campus universitaire? Le premier centre d'achats, où est-il? Eh puis, l'école polyvalente, la grande école, elle est à Edmundston-Est. N'oublie pas l'hôpital. Si bien que, dans quelques années, il ne restera au centre-ville que la police, les pompiers et la prison. Ce qu'on appelle le centre-ville, aujourd'hui, est devenu un faubourg d'Edmundston-Est[30]!» Légitime fierté ou légitime défense?

Le cimetière

Le curé Pichette devait se préoccuper des morts comme des vivants. Aussi songea-t-il très tôt à acheter un terrain qui servirait de cimetière. Il l'acquit de M. Joseph Lajoie. «Finalement, il m'a vendu ça pour une chanson.» En 1966, désirant l'agrandir, il obtint 1 600 pieds de plus du même propriétaire pour la modeste somme de 4 000 $ tout en laissant au propriétaire le droit de la coupe du bois.

Tragiquement, le cimetière devait être inauguré le 3 juin 1941, lorsque six paroissiens périrent dans un accident survenu à l'usine Fraser. Le cimetière n'était pas prêt. Le curé alla voir un ingénieur à la retraite, M. Anderson, à qui il exposa le problème. Celui-ci arpenta rapidement le terrain et délimita les

30. Entrevue Rousselle/CJEM

lots. Les malheureuses victimes purent reposer dans leur cimetière paroissial.

Mgr Pichette dira plus tard : «C'étaient les temps héroïques. On ne comptait pas les heures. J'ai dû travailler fort pour arriver à tout ça. La paroisse était à peine fondée que je me suis mis à l'œuvre pour mettre sur pied des organisations spirituelles.»

Les organismes paroissiaux

Avant le Concile Vatican II, il n'existait pas de conseils de pastorale paroissiaux et, au Nouveau-Brunswick, il n'y avait pas non plus de marguilliers, l'évêque d'un diocèse étant juridiquement propriétaire des biens ecclésiastiques selon la loi provinciale, d'où la nécessité pour un curé de s'appuyer sur des hommes et des femmes dévoués. Mgr Pichette disait : «Naturellement, dans la fondation des paroisses, il y a deux aspects : l'aspect matériel et l'aspect spirituel. Il fallait que je bâtisse les deux ensemble.»

Plusieurs organismes paroissiaux, d'hommes et de femmes, furent rapidement mis sur pied. Parmi les plus importants à Notre-Dame-des-Sept-Douleurs, il y eut les Ligues du Sacré-Cœur et les Dames de Sainte-Anne, devenues par la suite les Femmes chrétiennes, les Scouts, le Mouvement Lacordaire et Jeanne-d'Arc, les Chevaliers de Colomb, auquel il appartenait, les Filles d'Isabelle et la Légion de Marie, pour ne mentionner que ceux-là. «Il n'y avait pas de conseil paroissial comme tel. Je pouvais compter sur quelques hommes qui formaient l'exécutif de la Ligue du Sacré-Cœur. J'avais des réunions chaque mois; je les consultais sur certaines choses. Ils m'ont été très utiles; ils m'ont beaucoup aidé[31].»

La Ligue du Sacré-Cœur fut fondée le 22 janvier 1939. Organisme national dirigé par les Jésuites, son directeur était le père Senay, s.j., «un homme très dévoué, très cordial, avec qui je me suis lié d'amitié». Il s'agissait d'une ligue de prière et d'Action

---

31. *Ibid.*

catholique dont le but était de développer l'esprit chrétien dans la famille et dans la paroisse[32].

Il n'est pas exagéré de dire que la Ligue fut, littéralement, le bras droit du curé dans ses entreprises tant spirituelles que matérielles. Lui-même s'y dévoua corps et âme. Si les ligueurs en étaient le bras droit, les Dames de Sainte-Anne en furent le bras gauche. Les Dames de Sainte-Anne avaient été fondées dès 1938 sous le nom de Dames de la Sainte-Famille. On changea leur nom en 1960.

Leur dévouement et leur générosité ont fait la paroisse, et Mgr Pichette, qui l'appréciait, disait : «Ces deux organismes m'ont aidé énormément parce que dans l'exécutif, il y avait toujours trois ou quatre têtes qui me donnaient des conseils et avec lesquelles on discutait des problèmes de la paroisse. Ça m'était très précieux. [...] Ce sont les meilleures organisations qu'on puisse avoir parce que là on touche toutes les sphères, toutes les personnes. Ces organismes-là m'ont beaucoup aidé.»

Leur disparition l'affectait beaucoup : «Ils sont tous disparus aujourd'hui. On s'est battu pour fonder de très bons organismes paroissiaux. On en avait de très bons ici. Hélas! ça n'existe plus sur le plan national. Je pourrais citer des témoignages de dévouement incroyable tant des femmes que des hommes. [...] Ça portait fruit. C'est avec ça qu'on a fondé la paroisse.»

À son arrivée, l'abbé Pichette constata que plusieurs jeunes paroissiens appartenaient à une troupe de scouts de l'Immaculée-Conception. Il voulu la sienne et s'y intéressa de près considérant que c'était une école de formation unique, un vivier de forces vives pour l'avenir. Il y avait une meute, une troupe et un clan. «Dans tout mouvement, il faut avoir des chefs et des cheftaines, et il faut les former. Essentiellement, nous avons eu ici, sans exagération, le plus grand mouvement scout sur le plan paroissial au Canada. J'ai vu ce que l'on avait ailleurs et je comparais les nôtres avec ceux-là. Quand les chefs de Saint-

32. Sur les divers organismes paroissiaux, consulter *25 années de vie paroissiale, op. cit.*

Une procession de la Fête-Dieu avec arrêt au reposoir au domicile d'un paroissien.

Jean venaient ici, ils n'en revenaient pas : "Vous avez des chefs admirables!" disaient-ils. Les assemblées, on les tenait régulièrement; je confiais ça au vicaire. Je n'étais pas de nature à m'occuper de ça; trop jeunes pour moi!»

Il attachait tellement d'importance au mouvement scout qu'en faisant ériger la salle-église, il y avait inclus, dès le départ, un local pour scouts et guides. En 1950, les Scouts catholiques du Canada lui avaient décerné la décoration des Glands de Chênes. En 1963, le mouvement le fit chevalier de l'Ordre de la Croix de Jérusalem. À cette occasion, le commissaire national des Scouts catholiques du Canada, M. R.A. Michaud, après avoir retracé l'historique du scoutisme dans la paroisse, déclara : «Si nous avions au moins cinq ou six curés comme celui-ci, la chose serait tellement plus encourageante et notre jeunesse serait tellement mieux comprise[33].» Mgr Pichette avait été sensible à l'hommage.

33. «Mgr Numa Pichette nommé chevalier de l'Ordre de la Croix de Jérusalem», Moncton, N.-B., *L'Évangéline*, samedi, 29 juin 1963, p. 2.

Prière du matin et prédication

Prédicateur éloquent et apprécié, il ne confinait pas ses activités à la paroisse, étant souvent invité dans d'autres paroisses du diocèse : «Je prêchais énormément sur le plan paroissial. Je visitais toutes les paroisses du diocèse», dira-t-il. Pour illustrer le train d'enfer qu'il menait, il donnait en exemple un dimanche parmi tant d'autres : «J'avais dit la messe de 6 h 40. J'ai prêché, déjeuné et pris la route pour Saint-Jean-Baptiste, à 82 ou 83 milles d'ici. Je suis arrivé pour la grand-messe, où je prêchais. De là, je me suis rendu à Kedgwick, où le père Beaulieu, mon ancien vicaire, était curé[34]. Il m'avait demandé de parler aux hommes [ligueurs du Sacré-Cœur] à 3 h. Comme les femmes se réunissaient, elles, à 2 h, je leur ai parlé pendant une vingtaine de minutes. Je suis revenu à Edmundston et j'ai prêché en soirée. Le soir, j'étais fatigué!» On le serait à moins!

Mais ses incontestables talents de communicateur s'exercèrent, pendant dix-neuf ans, avec une constance qui n'avait d'égale que son efficacité, sur les ondes de la radio locale, la station radiophonique CJEM, fondée à Edmundston en décembre 1944. À l'époque, la station donnait gratuitement un temps d'antenne aux deux églises protestantes d'Edmundston, l'église anglicane St. John the Baptist et l'église St. Paul United. Le directeur de CJEM, M. Delphis Boudreault, avait offert la réciproque à Mgr Marie-Antoine Roy, nouvellement nommé premier évêque d'Edmundston. Aucun prêtre du diocèse ne voulait s'en charger.

L'évêque, lui-même prédicateur hors pair, comprenait la valeur inestimable d'une telle émission radiophonique qui alliait à la prière traditionnelle du matin une prédication populaire qui atteignait les masses. «Pendant le temps des fêtes, j'allais souvent à l'évêché et la question préoccupait Mgr Roy. Le droit canon, dans mon temps, ne se préoccupait pas de questions de psychologie populaire. Aujourd'hui, c'est différent mais

34. L'abbé Thomas Beaulieu (1908-1956), vicaire à Notre-Dame-des-Sept-Douleurs de 1945 à 1948.

de mon temps, ça n'existait pas. J'avais été sollicité par le directeur du poste. Après plusieurs consultations avec Mgr Roy et Mgr Conway, on m'a encouragé à le faire. J'ai songé à mon affaire. Je me suis fait un petit programme. Le 8 mai 1945, j'ai téléphoné à l'évêque pour lui dire que je commençais le lendemain matin à 8 h 15.»

Pendant près de vingt ans, de 1945 à 1965, la prière du matin fut entendue en direct de 8 h 15 à 8 h 30, bon an mal an. La première émission avait plu et à Mgr Roy et à Mgr Conway qui avait pris la peine de lui téléphoner pour lui dire : «Vous avez eu un admirable programme, là, là, un admirable programme!» L'imprimatur du génial et retors vicaire général valait mieux que l'aval de l'évêque!

Au début, l'abbé Pichette se rendait directement à la station. «Comme vous le savez d'expérience, la radio et la télévision c'est chronométré à la seconde; il faut commencer à la seconde et il faut terminer à la seconde. Au poste je regardais constamment ma montre[35].» De quoi parlait-il?

«Je faisais la vieille prière du matin, la vieille formule. Il me restait à peu près sept minutes pour traiter d'un sujet. Mes sujets étaient plutôt d'ordre religieux, éducationnels, sociaux de temps à autre; mon intérêt était passablement axé vers les questions sociales. Je lisais quelque chose dans les revues ou dans les journaux et ces lectures me donnaient des sujets à développer.»

Le déplacement quotidien du presbytère à la station, surtout l'hiver, présentait des inconvénients certains, de sorte qu'en 1948, un émetteur fut installé au presbytère. Seul inconvénient du nouveau système, on entendait parfois de bien curieux commentaires domestiques en arrière-plan lorsque la ménagère du curé lançait au livreur, de la cuisine : «Trois bouteilles de lait, aujourd'hui, pas de pain!»

35. Référence à l'auteur qui a été animateur et présentateur à la radio et à la télévision.

De cette expérience, il disait qu'elle avait été utile. «C'était un bon travail que l'on a essayé de faire. Encore aujourd'hui, vingt ans plus tard, il y a des gens qui me disent : "On vous écoutait à la radio. Mon Dieu qu'on aimait ça." Beaucoup d'Américains aussi. Cela avait une certaine influence. On dit qu'il n'y a pas une parole de Dieu qui n'ait une influence, bonne ou mauvaise. Alors, ces paroles-là étaient de bonnes paroles.»

La papetière Fraser

Edmundston est une ville industrielle dont l'un des plus importants employeurs est la papetière Fraser. Une première scierie s'était établie très tôt à Edmundston, la Murchie & Sons, achetée en 1911 par la compagnie Fraser. Un moulin de pulpe y fut établi par cette papetière en 1917, offrant emplois et débouchés pour les produit de bois. Une bonne proportion des paroissiens de Notre-Dame-des-Sept-Douleurs était employée par l'usine Fraser. Toutefois, Mgr Pichette était d'avis qu'à son arrivée à Edmundston, les relations entre la compagnie et les paroissiens n'étaient pas bonnes parce que «les dirigeants de la compagnie étaient des gens de l'extérieur».

Entre le nouveau curé et la haute direction de la compagnie, les choses allèrent mal dès le début de la fondation de la paroisse.

> On m'a dit, quand je suis arrivé, que le vice-président directeur général de Fraser n'aimait pas du tout l'idée qu'une église catholique soit construite ici. Il l'avait dit lui-même à plusieurs personnes en ville. La seule façon de le savoir, c'était de le rencontrer. Comme il fallait acheter du bois pour la construction de la salle-église, l'occasion de le rencontrer pour discuter d'achat était tout indiquée. Un dimanche soir, je me suis fait accompagner par les trois membres du comité nommé par Mgr Chiasson. On se rendit chez le vice-président. Il nous a reçus assez froidement. Il nous méprisait : des Français et des catholiques! La réunion a vite très mal tourné. À un certain moment, il a été insolent à mon égard en me disant :
>
> – *If you don't like it you should stay home!* [Si ça ne fait pas votre affaire vous devriez retourner chez vous.]
>
> Je me suis levé pour sortir. Il m'a rappelé :

> – *Come back!* [Revenez.]
>
> Finalement, les choses se sont arrangées. On a fini par lui demander le prix du bois qu'il nous fallait acheter : 100 000 pieds de bois. Ce qui changeait tout puisque les affaires sont les affaires, et que l'argent n'a ni religion ni race!
>
> – *That's a nice proposition!* (Voilà une proposition intéressante.)
>
> Il nous a donné un prix préférentiel. Il a fallu payer ça par versements. Nous étions à l'époque de la crise économique, juste avant la guerre. Une fois, il a fallu que j'aille rencontrer le trésorier de la compagnie, car je n'avais pas l'argent nécessaire pour payer un versement échu. Il m'a dit :
>
> – Je ne connais pas la situation et, sans doute, le vice-président ne se souvient de rien. Vous payerez quand vous pourrez!

Il y eut des exceptions à ce racisme anticatholique. Mgr Pichette signalait la générosité du gérant de l'usine, M. Barsalous, originaire de Montréal, avec qui il s'entendait très bien et «qui a été très généreux; il nous fournissait en papier».

Plus tard, beaucoup plus tard, les relations entre la paroisse et la papetière changèrent, grâce à un nouveau président, qui rendait visite régulièrement au curé à qui, un jour, il posa la question : «Que pensez-vous de la compagnie Fraser?» Et le curé de répondre : «Tenez-vous réellement à connaître la réponse?» Sur l'affirmative, il se fit dire : «Jugez par vous-même; quand on demande quelque chose à la compagnie, c'est comme si on demandait le ciel et la terre.» À partir de ce jour, les relations prirent un nouveau virage. On le constatera au chapitre 7, lorsqu'il sera question des Résidences Mgr-Pichette.

Nouveau diocèse

Durant la guerre, on établit un camp d'entraînement militaire à Edmundston, et l'abbé Pichette, avec le rang de lieutenant, devint l'un des aumôniers militaires. Ce fut vers la fin de la guerre, le 19 décembre 1944, que Rome démembra l'immense diocèse de Bathurst pour créer le diocèse d'Edmundston. Contrairement à ce que l'on a pu dire à ce sujet, Mgr Pichette n'y fut pour rien, ni directement ni indirectement[36]. Le premier titulaire du siège épiscopal, Mgr Marie-Antoine Roy, o.f.m., fut nommé en juillet 1945, et sacré dans sa cathédrale de l'Immaculée-Conception le 15 août de la même année.

La paroisse Notre-Dame-des-Sept-Douleurs existait depuis sept ans, mais son curé n'était pas le plus heureux des hommes. Le mal ne venait pas de ses paroissiens mais bien plutôt du clergé qui cultivait trop à son goût une certaine forme de xénophobie madawaskayenne. À cette époque, les Eudistes souhaitaient fonder un collège à Edmundston. Toutefois, le clergé local s'y opposait, à l'exception de l'abbé Pichette qui se trouva, bien malgré lui, au centre d'une querelle qui lui avait laissé un goût amer. La question, pour son importance, fait l'objet d'un chapitre particulier dans cet ouvrage.

Il voulut changer de diocèse, retourner au diocèse de Bathurst, ce qu'il aurait pu faire normalement avant l'annonce de la création du diocèse d'Edmundston qui n'était un secret pour personne. Lorsqu'il avait été nommé curé de la nouvelle paroisse, Mgr Chiasson lui avait dit qu'il pourrait revenir dans une dizaine d'années. Le curé, qui «avait toujours l'espoir de retourner à la baie des Chaleurs», fit part de son désir à son ancien évêque, Mgr LeBlanc. «Je lui ai dit, mon Dieu, moi je suis "gelé" à Edmundston.» Mais l'évêque de Bathurst ne pouvait que lui rappeler les règles canoniques en pareilles circonstances. Il n'était plus son Ordinaire : «Vous auriez dû me le rappeler avant la création du diocèse. Vous voyiez ça venir, vous. Quand le nouvel évêque sera arrivé, faites-vous donner un *exeat* et je serai heureux de vous accueillir dans mon diocèse.»

L'occasion de demander la permission au nouvel évêque de passer au diocèse de Bathurst se présenta bientôt et d'une façon plutôt inusitée. Mgr Roy ne savait pas conduire une automobile (ce qu'il apprit plus tard). Se trouvant à l'évêché, l'évêque

---

36. Jean L. Pedneault, «Mgr Numa Pichette, le bâtisseur, n'est plus», Edmundston, N.-B., éditorial, *Le Madawaska*, 26 février 1992.

l'informa qu'il devait se rendre à Québec durant la semaine, mais qu'il ne savait pas comment s'y rendre. Comme l'abbé Pichette, son frère le docteur Louis-Philippe et sa femme Lily (Briand) devaient se rendre à Montréal durant la même semaine, le curé Pichette invita l'évêque à faire route avec eux jusqu'à Québec.

Le curé au volant, l'évêque à ses côtés, le docteur et sa femme sur la banquette arrière, l'occasion était toute trouvée : «Monseigneur, je ne suis pas à Edmundston pour bien longtemps.» L'évêque fut surpris et voulut en connaître la raison. L'abbé Pichette fit valoir qu'il était originaire de la baie des Chaleurs, et que Mgr Chiasson lui avait promis de l'y ramener éventuellement. Réponse immédiate du prélat : «Ah! non, il n'en est pas question. J'ai besoin de vous. Je ne vous accorde pas d'*exeat*.»

Mais il le nomma consulteur séance tenante!

Voilà le curé de 39 ans le pied à l'étrier avec son entrée au conseil de l'évêque. «Je suis resté et j'ai bien fait de rester. Peu d'années après, la paroisse était devenue une très belle paroisse; je dirais presque la plus belle paroisse du Nouveau-Brunswick, toute française, toute catholique à 99,999 pour 100 parce qu'il n'y avait que seulement vingt familles non catholiques. Et puis ma paroisse était composée de gens modestes, de la classe ouvrière, qui ont collaboré à 100 pour 100 pour faire de la paroisse ce qu'elle est aujourd'hui [1990].»

Les grands travaux

En prévision de l'avenir, pour édifier une église et un presbytère, il fallait ramasser des fonds. Sur ce chapitre, le curé, avec son sens de l'organisation pratique, était imbattable. «Les fidèles voulaient l'église. Les fidèles, j'étais obligé de les retenir au lieu de les pousser[37].» D'autant plus qu'il était superbement secondé par les paroissiens. Il avait divisé l'année en trois étapes. Durant la première, de janvier jusqu'à Pâques, les Femmes chrétiennes organisaient loteries et soirées de cartes. Les

37. Entrevue Rousselle/CJEM.

Ligueurs du Sacré-Cœur prenaient la relève pendant deux mois : «Il y avait rivalité entre les deux groupes, vous savez, une rivalité de bon aloi.» À l'automne, c'était au tour des jeunes filles d'organiser des loteries. «C'était curieux de constater comment on pouvait recueillir deux mille dollars de cette façon.»

Un jour, l'organisateur des grands bingos qui se donnaient dans la ville de Québec et qui remportaient un succès fou, vint rencontrer le curé de Notre-Dame-des-Sept-Douleurs qui, lui, n'organisait pas de bingos parce que ça rapportait peu. La cause en était, selon le brave entrepreneur de Québec qui se vantait de faire jusqu'à 18 000 $ par bingo, que les prix donnés étaient sans valeur. Lui n'organisait que trois bingos géants par année, mais donnait deux automobiles comme prix d'entrée.

Au Québec, selon la loi, une partie des recettes d'un bingo devait être donnée à des œuvres de charité. Le bonhomme avait donc proposé à son curé d'organiser un bingo géant moyennant quoi il lui donnerait de 20 à 25 pour 100 du revenu net. Refus net du curé qui, parait-il, le regretta par la suite. L'abbé Pichette laisse causer son vantard qui lui propose le même arrangement. Le curé, prudent mais sagace, se fait expliquer le système en détail pour finalement dire à son interlocuteur qu'il devait consulter son comité paroissial.

> Le type était à peine sorti de mon bureau que je me suis mis à écrire tout ça : la banque, les billets qu'il fallait imprimer, les parties. Il donnait quinze parties pour deux dollars; nous allions en donner douze. Pour la vente, il y avait des vendeurs de cartes dans chaque allée. J'ai réuni mon comité et je leur ai dit ce que je voulais faire. Ils ont éclaté de rire, de rire de moi!
>
> – Vous n'êtes pas sérieux avec ça! Combien est-ce que ça va nous coûter?
>
> Je leur ai répliqué que ça coûterait 4 000 $. Je leur ai dit que, oui, qui ne risque rien n'a rien. Je n'ai pas réussi à les convaincre.

Le curé n'était pas habitué à essuyer un refus. Il se reprit une deuxième fois avec le même résultat. «Ils m'ont dit qu'ils ne pouvaient prendre pareil risque, que c'était impossible.» Il les réunit une troisième fois au mois d'août, mais, cette fois, il faisait acte d'autorité! On irait de l'avant avec le projet, mais il avait besoin de 130 bénévoles, au grand étonnement de M. Antoine Pelletier, président du comité. Il obtint leur coopération, mais le président le mit en garde : «Si vous voulez notre coopération, il vous faut en assumer la responsabilité.»

Il lui répondit que, nécessairement, il fallait qu'il assume toutes les responsabilités. Il leur dit aussi : «Ne parlez de ça à personne, pas même à votre femme. Il ne faut pas que ça s'ébruite trop.»

Dès septembre, il fit imprimer les billets, décida de donner une automobile comme prix de présence tiré au sort. Trois mille personnes participèrent au premier bingo qui rapporta 5 200 $, au grand ébahissement d'Antoine Pelletier. L'affaire était lancée! Les parties duraient deux heures, pas plus, à partir de 20 h 30. Une automobile était tirée au sort et 1 600 $ donnés en prix aux gagnants des parties. L'organisation de chaque bingo coûtait 4 000 $. L'engouement dura longtemps mais finit par décliner. Il y mit un terme après trois ou quatre années durant lesquelles il estimait avoir recueilli 30 000 $.

L'ancienne église, devenue salle paroissiale, eut aussi ses heures de gloire rentabilisées... par la lutte! Les jeunes gens de la paroisse souhaitaient aménager un ring pour la boxe et la lutte avec banquettes de bois. «On a pris le risque et dépensé quelque 4 000 $. Les jeunes m'ont dit : "Achetez le bois et les clous; nous ferons le travail pour rien!" Ça a fait l'affaire. Puis, j'ai trouvé un gars qui faisait de la lutte. Je lui ai dit : "Donne-moi 20 pour 100 de la porte; occupe-toi de faire les annonces et de payer boxeurs et lutteurs. La boxe n'est pas payante mais la lutte, ça rapporte!" Ça ne nous a pas pris beaucoup de temps pour rembourser nos 4 000 $ et d'en faire un autre!»

Pas étonnant que ces exemples d'entrepreneuriat sur une haute échelle l'ai fait surnommer, dans son dos bien entendu, «Monseigneur Bingo»! Entreprenant, excellent financier, bon administrateur, certes, mais il était aussi prévoyant. Anticipant que tôt ou tard sa propre paroisse serait démembrée pour accommoder une population sans cesse croissante, il avait acheté les terrains de M. Raymond Cyr. «J'avais dit à Mgr Roy : "Du terrain, ça n'est jamais perdu, Monseigneur. C'est toujours un bon investissement. Pour le moment, ça ne rapporte pas beaucoup, mais on pourrait subir une inflation et le terrain prendra de la valeur." L'évêque et moi sommes allés rencontrer M. Cyr qui m'a offert ce qui lui restait de terrain. Je lui ai fait un prix et nous l'avons payé[38].» Effectivement, la paroisse Notre-Dame-du-Sacré-Cœur fut créée en 1952, et son église s'élève sur les terrains achetés par l'abbé Pichette.

Toutes ces activités n'avaient qu'un but : la construction d'une église suivie de la construction d'un presbytère. Le dimanche 11 mars 1951, treize ans après la fondation de la paroisse, le curé annonçait aux messes que les travaux de construction de l'église débuteraient au mois de juin. Le 12 juin, en présence de l'architecte, M. Edgar Courchesne, de Montréal, de l'entrepreneur, M. Louis Fecteau, de Québec, et du contremaître, M. Armand Mathieu, également de Québec, le curé bénit le terrain. L'église s'élèvera entre la 37e et la 39e avenue, avec façade sur la rue Victoria.

De M. Courchesne, il dira qu'il était un «gentilhomme qui avait toujours le même ton. Il ne s'énervait pas, un peu flegmatique. Avec les entrepreneurs, ça prend bien, ça ne choque pas.» Il avait été l'architecte de l'imposante maison-mère des Filles de Marie-de-l'Assomption, à Campbellton, ainsi que du collège Saint-Louis. Le supérieur et recteur de l'institution, le père Simon Larouche, c.j.m., le recommandait hautement. Disciple de Dom Bello, un moine bénédictin, français, architecte, avec qui il avait étudié et dont l'influence sur l'architecture d'église était déjà grande au Québec, M. Courchesne fit un premier devis après discussions avec le curé.

L'abbé Pichette visita l'une des églises construites d'après les plans de M. Courchesne au nord de Montréal «et je l'ai trouvé à mon goût. Mes visites à Petit-Rocher et Bouctouche ont orienté mon choix : un espace ouvert, pas de colonnes qui empêchent de voir l'autel et le prédicateur; j'aimais ça.»

---

38. *Ibid.*

Quels matériaux utiliser? Pierres ou briques? Sans hésitation, il choisit la pierre, un matériau noble, un granit pur, rose, qui devait être extrait, au prix d'innombrables difficultés, d'une carrière presque inaccessible située au lac Antinori, non loin de Jacquet River, près de Campbellton. La carrière était exploitée par M. Frenette, de Rimouski. Au cours de l'hiver 1952, le curé, méfiant, voulut se rendre compte sur place où on en était rendu avec l'extraction de la pierre. Ce fut une aventure dont lui et M. Fecteau pensèrent ne pas réchapper!

Parti d'Edmundston par beau temps avec des prévisions météorologiques optimistes, le duo se rendit à Jacquet River péniblement «parce qu'une tempête de neige en règle s'est abattue durant la nuit; une tempête comme il n'y en a qu'à la baie des Chaleurs! Sept pieds de neige! Il faut dire qu'un vent terrible soufflait de tous côtés. À un moment donné, nous avons fait une embardée dans un banc de neige et là, on a pensé que c'était la fin, qu'on allait périr de froid. Je me souviens que M. Fecteau avait un petit chapeau sur la tête et des bas de soie! Nous nous sommes réchauffés dans l'automobile, le moteur en marche avec une glace ouverte pour ne pas mourir asphyxiés. Finalement, notre seul espoir, la charrue, s'est matérialisé vers 11 h. On était déjà au vendredi et on avait passé la semaine à ne rien faire du tout.»

Finalement, ce fut l'entrepreneur général qui réussit, deux semaines plus tard, à se rendre au lac Antinori, où il constata que Frenette ne pouvait extraire la pierre. Il n'y avait même pas d'électricité sur le site de la carrière. On songea à une alternative : marier pierre grise avec pierre rose, mais le curé tenait à sa pierre rose! Au printemps, nouvelle visite à la carrière. «Quand nous sommes arrivés là, nous avons trouvé Frenette avec un pied cassé; je pense qu'une pierre lui était tombée dessus.» En désespoir de cause, l'architecte, l'entrepreneur et le curé se rendirent à Donaconna, au Québec, pour rencontrer des spécialistes de l'extraction de la pierre.

Marché conclu.

– Mettez ça par écrit parce que le contrat vous appartient.

Le monsieur m'a demandé si j'avais eu le temps de regarder ailleurs.

– Non, pas du tout! Vous êtes des spécialistes et je vous considère comme des gens honnêtes. Je vais faire affaire avec vous autres et vous faites affaire avec moi, et fiez-vous que vous serez payés.

Il a répondu :

– Ce n'est pas souvent qu'on nous parle comme ça!

Et ça a marché. Cependant, Frenette n'était pas content, mais il n'aurait jamais pu sortir des pierres de façade, ni de perron; ce sont de grands morceaux, ceux-là.

Les travaux furent suspendus à Noël 1951 pour l'hiver. Ils reprirent au printemps 1952. «J'avais un type de la paroisse, un nommé Lavoie, qui charroyait cette pierre du lac Antinori jusqu'ici avec son camion, morceau par morceau. Il a été le seul à charroyer toute cette pierre. Il nous chargeait, je ne me rappelle plus combien par voyage.» Le curé payait son granit 5 $ du pied alors qu'un spécialiste américain lui avait dit qu'aux États-Unis, pour une pierre de cette qualité, il lui en aurait coûté 18 $.

La pierre angulaire du nouveau temple en construction fut bénite et posée par Mgr Roméo Gagnon, qui avait succédé à Mgr Roy décédé le 17 juin 1952.

«Finalement, on a terminé les travaux en beauté», dira-t-il avec une légitime fierté. M. Courchesne et M. Fecteau visitaient le chantier tous les mois. Quant à M. Mathieu, le contremaître, qui avait dirigé les travaux de construction de la maison-mère de Campbellton, le curé ne tarissait pas d'éloges sur sa compétence.

Des trois, il dira : «On s'est bien entendu; quand on a terminé la construction nous sommes restés amis, l'architecte, l'entrepreneur et le directeur des travaux. Chaque fois que j'allais à Montréal, je donnais un coup de téléphone à M. Courchesne; il m'invitait à déjeuner avec lui. Quand il venait par ici, je lui faisais manger du homard quand il y en avait! C'était pareil avec M. Fecteau. Je couchais chez lui à Québec. Quand il venait, il couchait au presbytère. Avec M. Mathieu, je prenais le

Photo prise en 1951 dans le sanctuaire de la salle-église avant la bénédiction de la pierre angulaire de l'église actuelle. De gauche à droite, Mgr J.-Roméo Gagnon, deuxième évêque d'Edmundston, Mgr William J. Conway, P.A., curé de la cathédrale Immaculée-Conception d'Edmundston et vicaire général, M. Edgard Courchesne, architecte, M. Louis Fecteau, entrepreneur général.

téléphone et lui demandais s'il était libre le lendemain. Si oui, je descendais chez lui. Je faisais ça deux ou trois fois par année. Nous sommes demeurés de bons amis.»

Le curé, qui voyait grand et beau et estimait qu'une église est autant un édifice civique qu'un temple spirituel, souhaitait que les parois intérieures soient en marbre. L'évêque, par souci d'économie, préférait le plâtre! Mgr Gagnon était de courte taille, sphérique et très pontife. Il avait la phobie des hauteurs. Le curé l'invita un jour à visiter le chantier et l'entraîna, mine de rien, à grimper dans les échafaudages, où il l'entretint aussi longtemps qu'il put de toutes sortes de détails pour finalement aborder la question du marbre pour ses murs. Mgr Gagnon, qui visiblement témoignait de sa hâte de retrouver la sécurité du sol plat, y consentit rapidement! Longtemps après, Mgr Pichette, évoquant les difficultés inhérentes à la construction, avait dé-

Vue intérieure de la nouvelle église telle qu'elle apparaissait immédiatement après sa construction.

claré en entrevue que «nécessairement il y a des difficultés. Seulement, comme curé, on s'entend avec l'évêque[39].» Depuis Loggieville, il savait comment s'y prendre! Il ajoutera, plus tard : «Je n'ai jamais eu de problèmes avec l'évêque, mais quand j'eus terminé la construction de l'église, j'avais 300 000 $ d'emprunt et 30 000 $ en dettes, ici et là, que je payais comme je pouvais[40].»

Le maître-autel fut consacré avec grande solennité le 10 décembre 1953 par Mgr Gagnon. Ce fut M. Pierre Fraser, l'un des pionniers de la première heure, celui-là même qui avait convaincu Mgr Chiasson d'ériger la paroisse, qui lut une adresse d'hommages au curé après la messe pontificale célébrée le soir. Un autre pionnier, M. Antoine Pelletier, qui avait toujours brillamment secondé son curé, lut une adresse d'hommages et de bienvenue à Mgr Gagnon.

39. *Ibid.*
40. N. Pichette/R. Pichette, 27 décembre 1988.

De M. Pelletier, pour qui il avait la plus vive estime, il dira : «C'était un homme, comme ses frères et ses sœurs, qui ne se gênait pas pour exprimer une opinion. C'était un homme bien élevé[41].» L'église fut bénite solennellement par Mgr Gagnon le 15 septembre 1954, en la fête patronale de la paroisse.

Si le bon Dieu était enfin logé en majesté, il restait à loger le curé et les vicaires. En 1955, l'évêque lui demanda à quel moment il entendait construire un nouveau presbytère. Dans deux ans, lui répondit le curé. Mais Mgr Gagnon lui demanda de commencer les travaux l'année suivante parce qu'il allait lui donner un deuxième vicaire. M. Courchesne en fit les plans. Commencé en avril 1957, le nouveau presbytère fut terminé à la fin du mois de janvier 1958.

Le nouveau presbytère reflétait l'époque : «En ce temps-là, j'avais deux vicaires; aujourd'hui il n'y en a plus. J'avais deux ménagères et beaucoup de visiteurs. Aujourd'hui, il n'y a plus beaucoup de personnes au presbytère. C'est beaucoup trop grand. Quand j'ai terminé le presbytère, mes dettes étaient de l'ordre de 360 000 $ en février 1958 : une grosse dette. Mais je n'ai jamais perdu une heure de sommeil pour ça.» Il s'emploiera à éteindre la dette entièrement et pourra dire : «Quand j'ai laissé, treize ans et demi plus tard, le 28 juillet 1971, la dette était payée et il y avait encore 28 000 $ ou 29 000 $ en banque.»

«J'ai toujours aimé le beau.»

C'est ce qu'il disait à M. Normand M. Clavet, président du conseil de pastorale de la paroisse, quelques jours avant de mourir. L'église construite, il restait à la meubler et à l'orner. Au début, faute d'argent, il avait songé à des chaises pour les

41. Entrevue Rousselle/CJEM. M. Antoine Pelletier, ingénieur forestier, fut sous-ministre adjoint du ministère des Terres et Mines dans le gouvernement du Nouveau-Brunswick. Comme il hésitait à accepter la nomination, Fredericton étant une ville anglophone, Mgr Pichette l'avait fortement encouragé à l'accepter en arguant qu'il y avait très peu de hauts fonctionnaires francophones au gouvernement provincial à l'époque et qu'il était important d'en augmenter la présence et l'influence.

Bénédiction de la pierre angulaire de la nouvelle église. De gauche à droite : le curé Numa Pichette, l'abbé Gérard Dionne, vicaire, Mgr J.-Roméo Gagnon, évêque d'Edmundston, l'abbé Rino Albert, chancelier du diocèse, et le père Simon Larouche, c.j.m., supérieur et recteur du collège Saint-Louis.

fidèles plutôt qu'à des bancs. Mais les fidèles ne le virent pas du même œil, eux qui depuis 1938, et même avant, devaient se contenter de chaises dans la salle-église : «Quand j'ai annoncé aux fidèles que nous aurions des chaises dans l'église parce que la dette était assez forte, ils sont venus me dire : "Comment, on a eu le derrière sur des chaises pendant vingt-cinq ans à l'Immaculée-Conception et on les aurait ici pour dix ou quinze ans de plus!"»

La solution était simple. Il convoqua une assemblée des paroissiens et leur proposa d'acheter un banc. Bien que le banc ne leur appartienne pas, chaque acheteur aurait le droit d'appliquer une plaque sur le banc donné portant son nom. Chaque banc coûtait 72 $, l'ensemble se chiffrant entre 22 000 et 23 000 $. Des bénévoles passaient de maison en maison en laissant un formulaire de souscription que chacun était libre de remplir ou non. «Les formulaires seront secrets, avait-il dit, j'en garderai un double. Si vous êtes d'accord, on est capable de réussir.» Il avait raison. «Ça a très bien marché. On pouvait échelonner ses paiements sur deux ans au besoin. Nous avons, de cette façon, recueilli plus que la valeur des bancs qui ont été placés dans l'église à l'automne de 1953[42].»

Il fallait un orgue. Il en voulut un de grande qualité, et il eut la chance, en 1963, de se faire conseiller par un expert, le père Antoine Bouchard, organiste et professeur de musique à l'Université Laval. L'abbé – plus tard monseigneur – Eymard Desjardins, qui avait succédé à Mgr Conway comme curé de la cathédrale, l'avait recommandé. Il fit les plans d'un orgue ainsi qu'un plan musical. Le curé, le père Bouchard et M. Joël Morneault, organiste dans la paroisse, se rendirent à Boston pour visiter une fabrique d'orgues.

Au bout du compte, le père Bouchard préférait les orgues Casavant fabriquées à Saint-Hyacinthe, au Québec. Le curé s'y rendit en compagnie du père Bouchard et de M. Courchesne, car il avait tenu à ce que l'architecte de l'église ait son mot à dire. «Il avait apporté les plans de l'église. Il les a mis sur la

42. Entrevue Rousselle/CJEM.

table, on en a discuté, et il n'a pas chargé un sou!» Le coût s'élevait entre 72 000 et 73 000 $. Consultant son évêque qui participait au Concile, à Rome, celui-ci lui conseilla de prendre l'avis des paroissiens. L'assemblée était présidée par M. Omer Pelletier.

Le curé prit la parole : «Vous aimez réellement votre église, tout le monde est content. Maintenant, il nous faut mettre autre chose dedans, mais pas n'importe quoi. Il nous faut des choses de qualité qui s'harmonisent bien avec l'église. L'orgue que nous allons installer devra être un orgue de qualité. Le père Bouchard me dit qu'on aura un rendement de cet orgue qui sera inégalé dans tout l'est du Canada. Il dit qu'il aura un son encore plus splendide que celui de l'Oratoire Saint-Joseph ou que celui de la cathédrale de Moncton, où il n'y a pas l'acoustique que nous trouvons ici. Cela va être extraordinaire.»

Mais il fallait trouver 15 000 $ dans les plus brefs délais, c'est-à-dire avant le 31 décembre, sinon la facture serait majorée de 5 pour 100. M. Pelletier prit la parole au nom des paroissiens réunis : «Monseigneur, je ne connais rien de ce dont vous nous parlez. Je n'ai pas l'oreille musicale, mais je suis fier d'appartenir à cette paroisse. Je vous félicite pour ce qui a été fait jusqu'à présent. La paroisse appuiera ce que vous ferez. Je propose que vous achetiez l'orgue.» En décembre 1967, un grand concert inaugurait l'orgue exceptionnel dédié aux enfants de la paroisse qui ont sacrifié leur vie au cours des deux guerres mondiales. C'est ainsi que Notre-Dame-des-Sept-Douleurs s'est dotée d'un orgue superbe connu internationalement par les concerts de musique sacrée qui s'y donnent.

Pour orner l'église, il eut encore la chance d'avoir dans sa paroisse un artiste de talent, Claude Roussel, qui devait devenir par la suite directeur du département des arts visuels de l'Université de Moncton. Fils d'une famille de dix-sept enfants, encore étudiant à l'école supérieure d'Edmundston et initié à la sculpture artisanale très jeune par le docteur P.C. Laporte, il ambitionnait d'étudier à l'École des Beaux-Arts de Montréal.

Vue extérieure de la nouvelle église Notre-Dame-des-Sept-Douleurs peu après sa construction.

La famille n'était pas riche. Plus tard, l'artiste dira de cette époque : «Quand à 20 ans, dans des circonstances difficiles, j'ai donné suite à mon rêve d'aller aux Beaux-Arts, j'avais décidé, une fois pour toute, d'aller au bout de moi-même[43].»

Or, Roussel avait exécuté une sculpture de l'usine Fraser sur un panneau de bois. Sa mère l'avait montrée au curé. «J'ai dit à Claude : "Va porter ça au président de la compagnie Fraser. Tu veux aller aux Beaux-Arts à Montréal et tes parents n'ont pas les moyens de te le payer. Va voir le président; ne parle pas de prix. Tu lui diras simplement que c'est un cadeau." Quand le président a vu ça, il l'a acheté. Je pensais qu'il allait lui donner mille dollars mais, si mes souvenirs sont bons, il ne lui a donné que 500 $. Mais enfin, il a pu étudier aux Beaux-Arts.»

Il s'offrit pour sculpter le Grand Christ suspendu dans le sanctuaire au-dessus de l'autel[44]. Puis il proposa quatorze stations du chemin de croix. «Quand il m'a montré ses dessins des quatorze stations, je lui ai dit que je ne pouvais pas les accepter : c'était trop moderne! Les gens n'étaient pas habitués à ces visages. Je lui ai donc demandé de refaire un croquis et de sculpter une station de son choix.»

Pour habituer les fidèles à ce qu'ils auraient sous les yeux tous les jours, ou au moins le dimanche, le curé, qui ne voulait pas d'art de Saint-Sulpice dans son église et résolu à encourager un authentique talent de sa paroisse, usa d'un innocent stratagème pour habituer les fidèles. Roussel choisit la huitième station, celle où Jésus rencontre les saintes femmes. Elle était du goût du curé qui la plaça sur un chevalet dans le bureau paroissial où chacun qui y venait pouvait la voir. Le curé avait l'encouragement de l'évêque «qui savait apprécier le beau». Ainsi, les paroissiens s'habituèrent en douce.

Roussel, avec le passage du temps, a quelque peu occulté cette période de sa vie, écrivant que, comme le renouveau de

---

43. Herménégilde Chiasson, Patrick Condon Laurette, *Claude Roussel sculpteur/sculptor*, Moncton, Éditions d'Acadie, 1985, p. 9.
44. Défrayé par un médecin qui pratiquait alors à Edmundston et habitait la paroisse, le docteur Stein.

l'art sacré au Québec l'avait incité à faire la décoration de la nouvelle église de sa paroisse, il lui fallut «non seulement convaincre le curé, mais aussi faire face à un public habitué aux statues traditionnelles en plâtre et nullement disposé à accepter des statues stylisées en bois[45]».

La vérité est quelque peu plus nuancée! Le curé Pichette mit une salle de l'ancienne église à la disposition de l'artiste en lui disant : «Tu vas passer ton été là-haut. Je ne veux pas que tu sois dérangé par qui que ce soit. J'irai te voir de temps en temps et je te dirai ce que j'en pense.» Jules II et Michel-Ange! Le chemin de croix fut terminé à la fin de l'été à la grande satisfaction du curé. Comme honoraires, Roussel avait demandé 125 $ pour chaque station... et il fournissait le bois! Divers paroissiens ont ainsi payé pour chacune des stations.

Claude Roussel sculpta également les statues de sainte Anne, du Sacré-Cœur et de saint Joseph portant l'Enfant Jésus. Il peignit également une murale de la Vierge des Douleurs surplombant le maître-autel. Celle-ci avait été offerte à la paroisse par la mère du curé. Un jour, Mgr Pichette, alors à la retraite, assistant à des funérailles dans son ancienne paroisse, constata avec stupeur que le troisième curé, l'abbé Arthur Godbout (1925-1983), avait réaménagé le sanctuaire de telle façon que la murale qui dominait l'abside était masquée par un retable.

Bien qu'il ait scrupuleusement évité de s'immiscer dans les affaires de la paroisse après son départ, Mgr Pichette ne put s'empêcher de protester. Le curé «m'a fait dire que ce n'était plus moi le curé, ce qui était vrai. Il avait raison.» Plus tard, l'abbé Normand Godbout, qui succéda à son frère comme curé en 1984[46], rétablit le retable à sa place originale, à l'extrême satisfaction du curé fondateur. De nos jours, on dit Notre-Dame-des-Douleurs. Le sept est omis. Ce ne fut pas du goût de Mgr Pichette, mais il ne s'en plaignit pas publiquement, se contentant d'observer en privé que l'on prenait bien des libertés avec le sacré au risque de finir par l'oblitérer.

---

45. *Ibid.*, p. 10.
46. Il avait été vicaire à Notre-Dame-des-Sept-Douleurs de 1959 à 1965.

Les honneurs

Le 19 juin 1955, l'abbé Pichette célébra le 25e anniversaire de son ordination sacerdotale par une messe en la chapelle de la maison-mère des Filles de Marie-de-l'Assomption, à Campbellton, où il avait célébré sa première messe[47]. Les 21 et 22 juin, la paroisse le fêtait. L'année suivante, le 26 mai 1956, Mgr Gagnon annonçait son élévation à la dignité de prélat domestique. Il devenait, dorénavant, Monseigneur Pichette. La cérémonie d'investiture eut lieu le 26 juin en son église, présidée par Mgr Gagnon en présence de sa famille, de ses paroissiens et de 82 prêtres des diocèses d'Edmundston, Moncton, Rimouski, Gaspé et Portland (Me). À cette occasion, les organismes paroissiaux lui offrirent la soutane violette, la mantelletta et le manteau romain de cérémonies.

Il adopta des armoiries et une devise tirée du livre des Proverbes : *In viis justitiae ambulo* : «Je marche dans les sentiers de la justice» (Proverbes 4, 11). Le symbolisme des armoiries est très simple : une épée, symbole traditionnel de la justice, enfilant une couronne fleurdelysée, symbole de la Vierge, mais aussi de la sagesse qu'il faut, selon le livre des Proverbes, acquérir «et au prix de tout ce que tu as acquis, acquiers l'intelligence. Étreins-la et elle t'élèvera, elle t'ennoblira si tu l'embrasses. Elle placera sur ta tête une couronne gracieuse, elle te gratifiera d'un diadème de splendeur.» (Proverbes, 4, 7-9)

Une croisette rappelle son état sacerdotal et les couleurs principales, le blanc, le bleu et le rouge, sont les couleurs de l'Acadie. L'écu fut d'abord surmonté du chapeau prélatice propre aux prélats domestiques (dits d'honneurs de nos jours depuis la simplification des titres à la suite de Vatican II), c'est-à-dire un chapeau violet avec six houppes violettes de chaque côté de l'écu. Lorsqu'il fut promu à la dignité de protonotaire apostolique, le chapeau resta violet mais les houppes devinrent rouges[48].

---

47. À cette occasion, il recommanda Claude Roussel aux religieuses pour sculpter un chemin de croix dont il acquitta la facture en gage de gratitude à Mgr Melanson et aux religieuses.
48. Archives de l'auteur.

Mgr Numa Pichette, vicaire général, au moment de son élévation au rang de protonotaire apostolique.

Cinq ans plus tard, le 11 juillet 1961, Mgr Gagnon le désignait comme son vicaire général et, le 7 mars 1963, l'évêque rendait publique sa nomination au rang de protonotaire apostolique *ad instar participantium.* Cette nomination marquait le 25e anniversaire de fondation de la paroisse. L'investiture eut lieu le 19 juin. Il reçut alors les insignes de sa nouvelle dignité, soit la mitre, le rochet, la mantelletta et l'anneau avec améthyste que sa famille lui avait offert. À son grand plaisir, son ancien évêque, Mgr Camille-André LeBlanc, évêque de Bathurst, était présent à la messe pontificale qu'il célébra immédiatement après la cérémonie d'investiture.

Le quotidien acadien *L'Évangéline*, pour lequel il s'était constamment dévoué, lui rendait un bel hommage sous la plume de son très distingué rédacteur en chef, Emery LeBlanc :

> Monseigneur Numa Pichette, curé de la paroisse Notre-Dame-des-Sept-Douleurs d'Edmundston et vicaire général du diocèse, est l'un de nos prêtres les plus éminents. Aussi, la nouvelle que Sa Sainteté le pape Jean XXIII l'avait élevé à la dignité de Protonotaire Apostolique a été accueillie avec une joie réelle et sincère, dans sa paroisse d'abord et dans le diocèse, mais aussi chez tous les Acadiens.
>
> Voilà bientôt vingt-cinq ans que Mgr Pichette a fondé la paroisse de Notre-Dame-des-Sept-Douleurs. Il a doté cette paroisse d'édifices imposants et d'une organisation paroissiale, sociale et scolaire qui en font l'envie de paroisses plus anciennes et plus populeuses.
>
> Mais le zèle de Mgr Pichette ne s'est pas limité aux cadres de sa paroisse. Son action religieuse et sociale s'est exercée à l'extérieur, grâce au truchement de la radio. Et cette action a connu un rayonnement qui a débordé les limites de son diocèse.
>
> *L'Évangéline*, certain de parler au nom de toute la population française des provinces Maritimes, offre à Monseigneur Pichette des félicitations sincères. Il est heureux que cette occasion lui soit donnée de rendre hommage à un homme qui s'est distingué et s'est dévoué non pas seulement dans la vocation qu'il a choisie, mais aussi dans la vie française de la province[49].

Il avait certes accompli le principal objectif qu'il s'était fixé au départ : bâtir une paroisse en rassemblant les sphères spirituelles et matérielles. Il a lui-même dit : «On ne marche pas sur l'enthousiasme. Il faut marcher avec la réalité. Il faut être pragmatique.»

---

49. Emery LeBlanc, «Mgr Numa Pichette, p.a., v.g.», *L'Évangéline*, lundi 11 mars 1963, p. 4.

CHAPITRE 6

LE COLLÈGE SAINT-LOUIS

La fondation d'un collège classique à Edmundston par les pères Eudistes en 1946 avait été l'occasion d'une querelle ecclésiastique de haut vol dont l'abbé Pichette fut le centre et presque la victime. Il tenait ferme à ce que les détails soient connus. D'autant plus qu'il avait, comme on l'a vu, la plus vive admiration pour les Eudistes qui l'avaient formé tant au collège Sainte-Anne qu'au séminaire. Si importante est cette question qu'elle mérite d'être traitée séparément.

À une époque où le nationalisme acadien, c'est-à-dire francophone, était inséparable des valeurs religieuses traditionnelles, un collège dirigé par des religieux (plus tard par des religieuses comme à Moncton, Saint-Basile, Shippagan et Bathurst) s'imposait naturellement. Les pères de la Congrégation de Sainte-Croix avaient fondé le collège Saint-Joseph, à Memramcook, dans le sud-est du Nouveau-Brunswick, en 1864. Les Eudistes, pour leur part, avaient fondé le collège Sainte-Anne en Nouvelle-Écosse en 1890, puis le collège du Sacré-Cœur à Caraquet en 1899, déménagé à Bathurst en 1915[1].

À ces collèges au Nouveau-Brunswick et en Nouvelle-Écosse, il faut ajouter le collège de Sainte-Anne-de-la-Pocatière, au Québec, où bon nombre d'étudiants du Madawaska se ren-

1. Pour un historique des fondations de collèges, lire Gilberte Couturier-LeBlanc, Alcide Godin, Aldéo Renaud, «L'Enseignement français dans les Maritimes, 1604-1992», *L'Acadie des Maritimes*, Université de Moncton, Chaire d'études acadiennes, 1993, p. 574-576.

daient. Les gens du nord du Nouveau-Brunswick, soucieux d'acquérir une éducation supérieure, devaient donc faire des sacrifices financiers importants, car les distances entre Edmundston, Bathurst, Memramcook et Pointe-de-l'Église étaient considérables, bien quelles fussent moindres en ce qui concerne Sainte-Anne-de-la-Pocatière. Cette institution était dirigée par des prêtres séculiers, c'est-à-dire qui n'appartenaient pas à une communauté religieuse. Incontestablement, la région du Madawaska était défavorisée en matière d'enseignement supérieur.

Durant la guerre, en 1943, les Eudistes avaient songé à remédier à cet état de chose en fondant un collège au Madawaska, et en avaient obtenu l'autorisation du nouvel évêque de Bathurst, Mgr Camille-André LeBlanc, qui avait succédé à Mgr Chiasson, décédé en 1942. Or, avant d'obtenir l'autorisation absolument essentielle de l'évêque, le supérieur provincial des Eudistes, le père Albert D'Amours, s'était rendu à Edmundston en éclaireur pour faire part du projet à l'abbé Pichette. Il avait également rencontré le curé de Saint-Basile, l'abbé Benjamin Saindon.

La mission du supérieur provincial des Eudistes était de sonder le terrain. Or, parmi les curés au Madawaska, seul l'abbé Pichette avait fait toutes ses études sous la direction des Eudistes. Quelques vicaires avaient aussi étudié sous leur direction, mais l'opinion des vicaires, à l'époque, ne pesait pas lourd si tant est qu'elle fût sollicitée!

Le père D'Amours s'enquit donc auprès de l'abbé Pichette s'il était pour ou contre la création d'un collège d'Eudistes à Edmundston. Mais celui-ci apprit à son grand étonnement que Mgr LeBlanc n'avait pas été consulté. Toute sa vie, Mgr Pichette respectera scrupuleusement l'autorité hiérarchique dans l'Église même si, parfois, il ne partageait pas l'opinion de ses évêques. «Vous n'avez pas vu Mgr LeBlanc? dit-il au père D'Amours. Voyons, il est le premier qu'il faut voir. C'est lui qui va décider si oui ou non il y aura un collège. Qu'est ce que ça peut valoir que je sois pour et que l'évêque soit contre? C'est l'évêque qui est le chef du diocèse, voyons! On n'entreprend pas semblable affaire sans son autorisation[2].»

Un mois plus tard, guéri de sa naïveté initiale, le père D'Amours vint revoir l'abbé Pichette pour lui apprendre que, cette fois, Mgr LeBlanc avait bel et bien donné son accord. Mais le clergé du Madawaska, selon Mgr Pichette, «était presque entièrement contre les Eudistes. Pourquoi? On ne l'a jamais su, mais la plupart de ces prêtres avaient étudié à Sainte-Anne-de-la-Pocatière, et ils auraient aimé que des prêtres de Sainte-Anne-de-la-Pocatière, des prêtres séculiers du diocèse de Québec à ce moment-là, fondent un collège au Madawaska[3].»

À la suite de cette première visite du père D'Amours, Mgr Conway, récemment élevé à la dignité de prélat domestique, convoqua une assemblée de prêtres à laquelle l'abbé Pichette ne fut pas invité. À cette assemblée, semble-t-il, il fut décidé de s'opposer à la venue des Eudistes et d'informer l'évêque de la position du clergé de cette partie de son diocèse. Une délégation se rendit donc rencontrer Mgr LeBlanc à Bathurst qui, sous les pressions, retira son approbation malgré que la nouvelle fondation ait été annoncée publiquement.

Une nouvelle assemblée du clergé fut convoquée à Edmundston, et cette fois l'abbé Pichette fut invité, la veille, par téléphone. Il résumait comme suit le ton qui prévalait lors de cette mémorable et houleuse assemblée :

> Connaissant la dissension qui existait entre le clergé et l'évêque de Bathurst, je me suis dit : «Je vais y aller.» Il y avait là 15 ou 18 prêtres présents, sinon plus. Entre autres, il y avait Mgr Conway, Mgr Bernier, qui était venu de Grand-Sault, Claude Cyr, qui était curé de Saint-André, les deux monseigneurs Lang puis les curés de Sainte-Anne, Saint-Basile, Rivière-Verte et Martin, de Saint-Léonard. À un moment donné, on a commencé à sortir de vieux clichés d'autrefois, à parler d'influence indue [...] et même on employait des mots un petit peu plus osés que ça; ils ont parlé

2. Entretien N. Pichette/R. Pichette, le 3 septembre 1990.
3. *Ibid.* Le diocèse de Sainte-Anne-de-la-Pocatière fut séparé du diocèse de Québec et érigé en évêché en 1951.

> de coup de cochon. Je les ai laissés parler pendant une vingtaine de minutes puis, à un moment donné, j'ai dit :
>
> – J'entends parler d'influence indue, de coup de cochon et ainsi de suite, mais qui en a fait? En avez-vous fait, vous autres?
>
> Mgr Bernier, en branlant comme il avait l'habitude de faire, a dit :
>
> – Justement, Numa, on t'accuse!
>
> – Vous m'accusez de quoi? M'avez-vous appelé ici ce matin pour m'accuser et pour me condamner? Vous avez choisi le mauvais homme, parce que vous en avez choisi un qui peut se défendre.
>
> – Accusé, dites ce que vous avez à dire!
>
> – Je suis prêt à vous répondre.
>
> Il y a eu un silence presque de mort là-dedans. Mgr Bernier reprit :
>
> – On t'accuse d'avoir reçu le père provincial des Eudistes[4].

Et l'abbé Pichette d'expliquer «à la brigade des ceintures violettes» – lui qui n'avait pas encore la sienne! –, la teneur de sa rencontre avec le père D'Amours et le sage conseil qu'il lui avait donné.

Les choses en restèrent là jusqu'au printemps lorsque Mgr LeBlanc vint célébrer une messe pontificale chez les Hospitalières de Saint-Joseph, à Saint-Basile, le 19 mars, fête de saint Joseph. Respectueux tant qu'on veut de l'autorité épiscopale, l'abbé Pichette ne pouvait manquer d'en parler à son évêque. Il le fit avec son franc parler habituel :

> – Pourquoi, Monseigneur, êtes-vous revenu sur votre décision? Elle était ferme; elle avait été annoncée à Radio-Canada, aux nouvelles de 23 h.
>
> – J'ai craint un peu.

4. *Ibid.* Les prêtres mentionnés étaient Mgr William J. Conway , P.A., V.G., (1876-1961), Mgr Georges Bernier , P.D. (1880-1956), l'abbé Claude Cyr (1881-1943), Mgr Alfred Lang, P.D., (1893-1986), curé de Drummond, Mgr Ernest Lang, P.D., (1899-1988), curé de Saint-François, l'abbé Armand Martin (1889-1962).

– Vous ne les connaissez pas, Monseigneur, une bande de pisseux! Vous allez voir, ils iront brailler à vos pieds.

Confus, Mgr LeBlanc lui fit remarquer qu'on le mettait dans une situation critique.

La création du diocèse d'Edmundston en décembre 1944 et le sacre du premier évêque, Mgr Marie-Antoine Roy, o.f.m., le 15 août de l'année suivante, allait tirer l'évêque de Bathurst d'une situation critique dans laquelle il s'était placé lui-même.

Au cours de l'hiver, après que Mgr Roy eut pris possession de son siège, il convoqua l'abbé Pichette, pour discuter de la question du collège sous le sceau du secret, voulant savoir exactement ce qui s'était passé. Les explications données, la constatation du malaise qui existait dans le diocèse dûment notée, le fait que Mgr LeBlanc n'aurait pas dû revenir sur sa décision, le nouvel évêque conclut qu'il se trouvait dans une situation difficile. Il dit : «Ce sera les Eudistes ou personne. Je ne sacrifierai pas le bon ordre du diocèse pour l'amour d'un collège. Des collèges, il y en a en quantité. Il y en a à Gaspé, à Bathurst, à Rimouski, à Sainte-Anne-de-la-Pocatière, à Québec, à Montréal et ailleurs. Alors, un collège à Edmundston, ce n'est pas une nécessité. Le public le veut, mais s'il faut vivre dans la discorde...[5]»

Mgr Roy était loin d'être hostile à l'idée d'un collège, mais d'une part, il voulait éviter une dissension scandaleuse et, d'autre part, il tenait à s'assurer de la disponibilité d'un site car, comme il le dit à l'abbé Pichette, «on ne peut pas s'asseoir sur une chaise à trois pattes. Il faut quatre pattes. Il y a une patte qui manque, c'est le site.»

Mais le curé de Notre-Dame-des-Sept-Douleurs, prévoyant toujours à long terme, en avait un dans sa paroisse qu'il était prêt à céder aux Eudistes. Cette question réglée, l'évêque décida de laisser passer un peu de temps et de convoquer les consulteurs diocésains. Ils étaient quatre : Mgr Conway, curé de la cathédrale et vicaire général, Mgr Georges Bernier, curé de

---

5. Entretien N. Pichette/R. Pichette, le 3 septembre 1990.

l'Assomption de Grand-Sault, l'abbé Armand Martin, curé de Saint-Léonard, et l'abbé Pichette, le plus jeune.

Selon Mgr Pichette : «Mgr Roy était un homme autoritaire, très autoritaire. Il était l'homme pour régler l'affaire du collège d'une façon ou d'une autre parce qu'il n'y avait pas de tergiversations avec lui. Quand il avait décidé d'une chose, il allait tout casser pour la mettre en branle[6].» Devant les consulteurs assemblés, l'évêque résuma la situation «en cinq minutes, un petit peu plus peut-être». Puis il leur enjoignit de décider eux-mêmes s'il y aurait un collège ou non à Edmundston. «Si vous dites que vous ne voulez pas des Eudistes, eh bien il n'y aura pas de collège ici.»

L'évêque fit alors un tour de table en commençant par le plus jeune qui exposa qu'à son avis, le clergé séculier du diocèse ne disposait ni d'hommes compétents ni des moyens financiers pour fonder un collège. L'abbé Pichette avait déjà évoqué cet argument auprès de Mgr Conway qui disposait de deux vicaires alors qu'il n'y en avait qu'un à Notre-Dame-des-Douleurs. «J'avais dit : "Monseigneur, êtes-vous prêt à sacrifier un vicaire pour aller au collège?" Mais ils avaient en tête de faire venir des prêtres de Sainte-Anne-de-la-Pocatière et moi, ils m'auraient nommé supérieur, comme je l'ai su par après.»

Le curé de Notre-Dame-des-Sept-Douleurs se fit le promoteur des Eudistes en termes particulièrement convaincants. Qu'on en juge : «J'ai fait mon cours collégial chez les Eudistes. J'ai été très bien traité. Je les ai beaucoup aimés à Halifax. C'étaient de bons professeurs, des hommes de Dieu, franchement de vrais prêtres. Maintenant, le public ne s'occupe pas qu'il s'agisse de va-nu-pieds, d'Eudistes, de Jésuites ou d'autres qui viennent fonder un collège. Ils veulent un collège. Si les Eudistes sont assez généreux pour venir fonder un collège à leurs frais et dépens, je ne vois pas pourquoi on les refuserait.»

L'abbé Martin se prononça en faveur de la venue des Eudistes. Mgr Bernier en fit autant. C'était le tour de Mgr Conway qui se lança dans une longue valse-hésitation. L'évêque, selon

---

6. *Ibid.*

Mgr Pichette, rougit jusqu'au bout des oreilles pour finalement dire à son vicaire général : «Mgr Conway, si vous ne vous êtes jamais compromis, ni pour Dieu ni pour diable, vous allez vous compromettre ce matin. Je vous demande un simple oui ou non sans autre explication.»

Mgr Conway, cessant son manège, répondit par l'affirmative. L'affaire était réglée, mais Mgr Roy entendait qu'elle le soit une fois pour toutes. Aussi, en guise de conclusion, leur tint-il ce langage : «Ainsi, vous êtes tous les quatre en faveur, c'est unanime, très bien. Je vais inviter les Eudistes à venir fonder un collège. Que je n'entende pas parler, derrière mon dos, que j'ai décidé seul. Ce n'est pas moi qui ai pris la décision, c'est vous. Comprenez-vous? Alors il faut faire l'union. On va maintenant appeler les vicaires forains, pas pour les consulter, mais pour les informer que les consulteurs et l'évêque ont accepté les Eudistes. Après, nous tiendrons une assemblée générale des prêtres pour leur dire que ce sont les Eudistes qui viennent fonder le collège.»

C'est ce qui se produisit. Et Mgr Pichette de conclure longtemps après cette remarquable consultation : «Ça prenait un Mgr Roy, qui avait de la poigne, pour le faire. Mgr LeBlanc n'avait pas osé aller si loin, lui, car c'était un homme plus modéré[7].»

Mais Mgr Roy était également un authentique intellectuel, et ses diocésains, s'ils ne le savaient pas déjà, l'apprirent par le remarquable mandement qu'il leur adressa au mois de mars 1946 pour annoncer officiellement la fondation du collège Saint-Louis. Remarquable, ce document l'est à tous points de vue : littéraire, spirituel, éducationnel. L'évêque, bien sûr, y fait l'appréciation des Eudistes qui, avec «un zèle manifestement désintéressé, que l'histoire se doit de mieux faire connaître, [...] ont travaillé ferme à la grande cause du Christ et des âmes en Acadie[8]».

---

7. *Ibid.*
8. Mandement de S.E. Mgr Marie-Antoine Roy, O.F.M. pour annoncer la fondation d'un collège classique et d'une maison de retraites fermées, Edmundston, 22 mars 1946.

Il y fait, naturellement, l'apologie du cours classique et de la doctrine de l'Église, citant Pie XI qui affirmait que «cette suréminence de l'Église, non seulement n'est pas en opposition mais, au contraire, en parfaite harmonie avec les droits de la famille et de l'état et avec ceux de chaque individu[9]». Mgr Roy n'a pas cherché à escamoter les difficultés originelles. Notant que le problème du collège avait été étudié avant son arrivée dans le nouveau diocèse, il ajoutait : «Sans retard comme sans précipitation, Nous avons cherché une solution pacifique. Grâces soient rendues à Dieu. Nous l'avons trouvée dans la bonne entente et l'union des cœurs. Ainsi fut conçu, ainsi va bientôt naître, ainsi fonctionnera ce phare [...][10].»

Mgr Roy, son autorité épiscopale dorénavant incontestée à la suite d'une crise évitée mais qui aurait pu sérieusement ébranler le diocèse naissant, rappelait avec un brin de triomphalisme dont les évêques, à l'époque, n'étaient pas dépourvus, que son clergé avait obéi mais en des termes qui font quelque peu oublier l'humiliation de ses consulteurs :

> Nos prêtres n'ont eu garde d'oublier que l'obéissance vraiment surnaturelle ne consiste pas à se soumettre quand les décisions de l'autorité s'identifient avec leurs projets, mais à accepter de cœur celles qui ont été signifiées. Ils savaient par une expérience qui ne trompe pas, que cette vertu requiert au concret une fort coûteuse abnégation et qu'il serait même surprenant qu'il en fût autrement. Ils ont compris qu'au soir de leur vie, leur consolation ne sera pas d'avoir fait prévaloir des préférences personnelles, si légitimes soient-elles, mais d'avoir uni leur volonté à celle du Christ. Aussi, ils ont obéi, immédiatement, magnifiquement, respectueusement, cordialement. Sans y prétendre, ils ont donné un exemple qui mérite d'être cité, en tout cas d'être imité[11].

Cet exemple de soumission, un peu forcé comme on l'a vu, étant donné en modèle – et les trois plus vieux conseillers de l'évêque auraient pu s'offusquer de cette allusion gratuite au soir de leur vie! –, il ne restait plus à l'évêque qu'à indiquer

9. *Ibid.*, p. 106.
10. *Ibid.*, p. 107.
11. *Ibid.*, p. 124.

péremptoirement aux fidèles l'unique voie à suivre en des termes qui n'admettaient pas de réplique et qui sont ceux d'un vrai chef :

> Quant à vous, Nos très chers Frères, édifiés et entraînés par cette admirable souplesse de vos pasteurs, vous marcherez dans leur sillage, animés du même esprit, le cœur tendu vers le même but. Vous ne consentirez à aucune discussion sur ce qui aurait pu être fait. Vous rappelant que l'union fait la force, vous Nous aiderez à exécuter ce qui a été décidé. Convaincus que Nous avons un trop pressant besoin de toutes nos ressources pour les gaspiller en palabres et les éparpiller en efforts disparates, vous vous grouperez autour de vos pasteurs et, par eux, ferez bloc avec votre évêque. Cette mise en faisceau des énergies et des volontés, dans une communauté d'idéal, demeurera après la grâce la plus précieuse garantie de succès[12].

Ce pressant appel à l'union n'était pas inutile. Le curé de Saint-Basile, l'abbé Benjamin Saindon, avait organisé dans sa paroisse une réunion de laïcs pour s'opposer à la venue des Eudistes[13].

Les Eudistes vinrent et, avec eux, le succès. D'abord installé temporairement dans les anciennes casernes militaires érigées durant la guerre, le collège Saint-Louis se logera définitivement dans la paroisse en mai 1949. Mgr Pichette n'était pas peu fier d'avoir contribué directement à la fondation à Edmundston du collège Saint-Louis devenu depuis lors le collège Saint-Louis-Maillet puis le Centre universitaire Saint-Louis-Maillet de l'Université de Moncton. Il en était fier aux limites de l'orgueil, rappelant que son ami, le père Robert Bernier, c.j.m., l'un des fondateurs de 1946, supérieur et recteur de 1952 à 1958, lui avait dit lors d'une visite à la maison des Eudistes, à Laval-des-Rapides, en banlieue de Montréal : «N'eût été de vous, Monseigneur, les Eudistes n'auraient jamais fondé le collège à Edmundston. C'est à cause de vous qu'on l'a fondé. "Il m'a dit ça littéralement[14]."»

---

12. *Ibid.*, p. 124.
13. Entretien N. Pichette/R. Pichette, 15 juin 1989.
14. Entretien N. Pichette/R. Pichette, 3 septembre 1990.

Photo prise le 28 septembre 1948 sur le site de l'ancien camp militaire utilisé temporairement par le nouveau collège Saint-Louis. À droite, l'abbé Pichette serrant la main de S.E. Francisque Gay, ancien ministre d'État du général de Gaulle, ambassadeur de France au Canada. Au centre, le père Simon Larouche, c.j.m., premier supérieur et recteur du collège. L'autre personnage de la suite de l'ambassadeur n'est pas identifié.

Il convient d'ajouter que son frère, Me Albert Pichette, lui aussi ancien élève des Eudistes, proche collaborateur de Mgr Roy, ne fut pas lui non plus étranger à l'établissement des Eudistes.

Ce que le père Bernier avait dit en privé, il le dit également publiquement à Edmundston en octobre 1986, au moment où l'Université de Moncton lui décernait un doctorat *honoris causa.* Rappelant l'arrivée des trois premiers pionniers à Edmundston, le père Bernier déclara à son auditoire :

> Le lendemain, une nouvelle vie commençait. Nous ne connaissions absolument personne. Nous sommes allés saluer Mgr l'évêque, Mgr Roy, Mgr Conway, curé de la cathédrale puis Mgr Pichette, qui nous est apparu tout de suite comme la providence personnifiée. Mgr Pichette parlait tous les jours à la radio. C'est lui qui salua notre arrivée. C'est lui qui indiqua aux familles intéressées ce qu'il fallait faire. Il a tellement bien fait les choses (comme tout ce qu'il fait), que dans l'espace de quelques semaines nous avions enregistré 103 élèves.
>
> Avec nous, Mgr Pichette a été le grand fondateur de Saint-Louis et s'y est toujours intéressé sans réserve. C'est pourquoi je garde pour Mgr Pichette une amité que les années n'ont fait qu'amplifier. Merci, Monseigneur, vous mériteriez que la République vous embrasse... contentons-nous de vous applaudir des quatre mains[15].

À cette occasion, le père Bernier n'avait pu ni rencontrer son ami ni même lui téléphoner. Aussi, de retour à Laval-des-Rapides, il lui écrivit pour lui dire : «J'avais préparé une petite salutation spécialement pour vous... je vous ai fait applaudir et je vous assure que c'était nourri [...] et tous avec ferveur ont applaudi, je pourrais dire longtemps. [...] Tout cela était bien sincère de ma part et je n'ai pas manqué l'occasion pour affirmer ce que depuis longtemps je portais dans mon cœur[16].»

---

15. Père Robert Bernier, c.j.m., «40 ans! St-Louis», collation des grades au Centre universitaire Saint-Louis-Maillet, Université de Moncton, église du Sacré-Cœur, Edmundston, le 26 octobre 1986. Le père Bernier, né le 1er mai 1907, fut incorporé dans la Congrégation des Eudistes le 8 septembre 1932 et ordonné prêtre le 6 juin 1933. Décédé le 29 octobre 1990.
16. P. Robert Bernier à Mgr N. Pichette, Laval-des-Rapides, 28 octobre 1986, archives de l'auteur.

Cette lettre lui avait beaucoup plu. La preuve en est qu'il l'avait conservée, lui qui ne gardait pratiquement rien.

Mgr Pichette vit avec chagrin mais sans révolte, l'écroulement d'un monde qu'il avait connu, dont les structures lui avait permis d'accomplir une action spirituelle et sociale à la mesure de ses talents et qui privilégiait une élite désormais remplacée. C'est le cas de toutes les mutations générationelles. Il eut au moins le mérite de s'y adapter et de ne pas s'en plaindre. Pas entièrement toutefois.

La fin du cours classique, qui avait assuré à l'Église un vivier de vocations, l'avait profondément chagriné. Sans en chercher les causes sociales profondes, il n'en avait retenu que les plus évidentes à ses yeux : le manque de vocation dans les communautés religieuses enseignantes, les défections et le vieillissement qui faisaient que les collèges traditionnels devaient fermer leurs portes faute d'effectifs. Constat d'un effet plutôt que d'une cause.

Dans un discours aux finissants et finissantes du collège Saint-Louis-Maillet, en 1972, représentant Mgr Lacroix en sa qualité de vicaire général, Mgr Pichette leur avait donné un conseil qui, de prime abord, pourrait paraître surprenant : «Deux frères terminaient leurs études universitaires et y recevaient leur diplôme. À la veille d'entrer de plain-pied dans le monde, l'un dit à l'autre : "Mon frère, soyons distingués." Chers finissants, à la veille vous aussi de franchir le seuil d'une institution qui vous a formé et aidé à prendre une place honorable dans la société, je ne puis mieux faire que de vous dire : soyez distingués[17].»

Pourtant ce conseil n'a rien qui doive surprendre. Que l'on relise ce qu'il disait à Pointe-de-l'Église en 1956, et l'on comprendra pourquoi il défendait avec tant d'acharnement son concept d'éducation supérieure et de formation d'une élite de chefs, tant civils qu'ecclésiastiques. Les diplômés universitaires

17. Mgr N. Pichette, discours aux finissants, Saint-Louis-Maillet, 30 avril 1972, archives de l'auteur.

forment une élite privilégiée. Or, le privilège implique nécessairement une responsabilité qu'il expliquait comme suit :

> [...] Soyez distingués par votre personnalité, votre honnêteté, votre esprit chrétien. Si le peuple canadien-français ne fait pas cela, il ne sera jamais le maître de son destin économique. Souvenez-vous que le travail est la loi de la vie et que les lâches ne conquièrent ni la terre ni le ciel. Entrant dans un monde en pleine évolution économique, sociale et religieuse, un monde que vous connaissez mal, un monde qui ne rêve que d'indépendance et de liberté et de plaisir, vous devez comprendre que, n'étant plus des enfants, vous avez des responsabilités envers cette société dans laquelle vous entrez[18].

Quant à la responsabilité qui incombe à ceux qui ont reçu plus que d'autres et qui ne sauraient se contenter «ni de l'acquit ni de l'ordinaire», elle doit s'exercer en fonction de la société :

> La société est un corps social, et tous ses membres doivent travailler à garder ce corps en santé et dans la voie du progrès. Plus on a reçu plus on devient serviteur de cette société; vous avez beaucoup reçu : il faut donc donner beaucoup; on reçoit pour donner. Dites-vous que la société a besoin de vous au point de vue intellectuel, économique et religieux. En gagnant honorablement votre vie, vous devez faire profiter les autres de vos talents en prenant une part active à toutes les activités de votre communauté. Le bien que vous ne ferez pas ne sera jamais fait. Le monde sera meilleur ou pire à cause de vous[19].

À Mgr Fernand Lacroix, il déplora un jour, avant de prendre sa retraite, que les Eudistes, faute de personnel, se soient retirés simultanément de leurs collèges de Pointe-de-l'Église, de Bathurst et d'Edmundston. À son avis, ils auraient pu, ils auraient dû, en consolidant leurs effectifs, maintenir au moins un collège classique dans les provinces Maritimes, et ce collège aurait dû être celui d'Edmundston.

Réaction de clerc d'ancien régime, sans aucun doute, qui ne comprenait pas les profondes mutations sociales qui se pro-

18. *Ibid.*
19. *Ibid.*

duisaient, notamment au Nouveau-Brunswick, où le gouvernement Robichaud s'acharnait à créer une seule authentique université digne de ce nom pour remplacer la pléthore de collèges classiques devenus désuets. Mais, en réalité, c'est à la pépinière de vocations que ces collèges avaient été que songeait Mgr Pichette.

L'évêque, ancien supérieur général de sa congrégation, l'offensa en lui répondant : «Ah! ça ne me regarde plus.»

Et Mgr Pichette de rétorquer : «Monseigneur, cela va vous regarder avant longtemps. Où allez-vous prendre vos prêtres? La pépinière du clergé, c'était là, mais le clergé n'étant plus au collège, qui va prendre la relève? Les laïcs? Quelle sorte de professeurs allez-vous avoir là-dedans? [...] Il n'y a pas un prêtre qui est sorti de là depuis ces dernières années[20].»

La crise pour le diocèse d'Edmundston, comme ailleurs, est réelle et sera bientôt dramatique. En ce qui concerne Mgr Pichette, les Eudistes avaient eu le mérite, entre autres, de doter le diocèse de prêtres pendant deux générations.

20. Entretien N. Pichette/R. Pichette, 3 septembre 1990.

CHAPITRE 7

LA RETRAITE

Il y eut un soir comme il y avait eu un matin. En 1971, après trente-trois années comme curé de Notre-Dame-des-Douleurs, âgé seulement de soixante-cinq ans, Mgr Pichette démissionna de sa cure. Il observa toujours la plus grande discrétion sur les raisons qui l'avaient incité à quitter une paroisse qui était toute sa vie. Même s'il s'est publiquement exprimé sur certaines d'entre elles, on peut en ajouter une autre.

Au moment du décès subit de Mgr Gagnon, le 18 février 1970, Mgr Pichette prenait ses vacances à l'étranger. L'idée de démissionner de sa cure lui vint sur le chemin du retour : «J'ai pensé à mon affaire. On va nous nommer un évêque, probablement un religieux qui ne connaît rien à l'administration des paroisses, puis le temps est venu de m'en aller[1].»

Il avait raison d'anticiper la nomination d'un religieux comme évêque. L'élu fut Mgr Fernand Lacroix, sacré le 20 octobre 1970, qui était non seulement un Eudiste, mais qui avait été aussi supérieur général de sa congrégation. Le premier évêque d'Edmundston, Mgr Roy, était un Franciscain et son premier évêque à Chatham, Mgr Chiasson, était un Eudiste. Chacun des trois avait la particularité de n'avoir jamais été curé avant d'accéder à l'épiscopat, grave défaut aux yeux de Mgr Pichette qui se rappelait qu'un jour, à Chatham, un curé exaspéré avait dit à Mgr Chiasson : «On voit bien, Monseigneur,

1. Entretien N. Pichette/R. Pichette, 3 septembre 1990.

que vous n'avez jamais été curé.» Et le prélat de rétorquer : «Dame, dame! oui, mais moi, je suis votre évêque!»

Mgr Pichette avait fait sienne depuis longtemps la maxime évoquée par Bossuet dans son *Exposition de la foi catholique* : *In necessariis, unitas; in dubiis, libertas; in omnibus, caritas.* (Dans le nécessaire, unité; dans le doute, liberté; en toutes choses, charité.) Au chapitre de l'obéissance et du respect dû à l'évêque, Mgr Pichette ne badinait pas. Il avait quand même des opinions souvent bien arrêtées qu'il n'hésitait pas à partager! Toutefois, il faut se rappeler qu'il avait déjà déclaré : «Seulement, comme curé on s'entend avec l'évêque[2].»

L'élément déclencheur fut peut-être une réunion de laïcs, hommes d'affaires, convoquée par le nouvel évêque pour le conseiller en matières financières. À son avis, Mgr Lacroix n'avait pas tenu compte des avis et des suggestions faites par des notables experts en la matière et qui avaient d'autres chats à fouetter que de se réunir pour rien. Il le lui dit.

À cela s'ajoutait une incompréhension grandissante des bouleversements de société en tête desquels il plaçait la défection cléricale, l'athéisme, l'abandon plus ou moins systématique de la pratique religieuse et la montée des sectes. De même que pour le rôle actif des laïcs dans les affaires de l'Église, il s'était fort bien accommodé du renouveau liturgique, souvent avec enthousiasme. Mais les anciennes structures d'une Église monolithique dans lesquelles il avait toujours œuvré changeaient très rapidement, au même rythme que la société civile. Non qu'il fût d'un conservatisme obtus, car cet homme éminemment pragmatique, sauf en matière de foi et de dogme, avait toujours su innover.

Sur ce chapitre, il avait voulu être discret, se contentant de constater que chaque «génération a sa manière de célébrer les choses, et naturellement à ce moment-là, le peuple était très chrétien et puis, aujourd'hui, malheureusement, il y en a beaucoup des nôtres qui nous ont laissés[3]». Il voyait plusieurs rai-

2. Entrevue Rousselle/CJEM.
3. *Ibid.*

sons à cet état de chose, mais se refusait à en discuter publiquement, se contentant de n'en souligner qu'une : le manque de foi des non-pratiquants.

Il admettait volontiers, cependant, que l'Église en tant qu'institution avait exercé trop d'autorité, trop lourdement, pendant trop longtemps. Il constatait avec plaisir que les changements étaient pour le mieux. «Vous savez, disait-il, l'Église a toujours vécu dans des extrêmes. [...] En étudiant l'histoire de l'Église, on s'en rend compte. De mon temps, à moi, c'était lourd d'extrêmes[4].»

Quelques années après avoir pris sa retraite, il avait expliqué son état d'esprit devant les Filles de Marie-de-l'Assomption qui célébraient le jubilé d'or de la profession religieuse des fondatrices. C'est un résumé de ses appréhensions :

> Il est normal qu'on veuille améliorer les structures actuelles de notre société; mais améliorer ne veut pas dire renier, encore moins détruire le passé. [...] L'Église, nous ne le constatons hélas! que trop, subit une crise dans son clergé, dans ses communautés religieuses ainsi que chez les laïcs. La barque de Pierre est menacée et ballotée par les flots de l'incroyance et du doute. Les choses ne sont plus les mêmes : l'image que nous avions de l'Église n'est plus la même; il y a incertitude, contestation et confusion. Ceux qui, comme nous, ont connu des jours plus sereins, une atmosphère moins chargée, sont désemparés. Arrivés à un âge où on ne se fait plus d'illusions et où on aime repasser les souvenirs d'antan pour les savourer davantage et admirer les desseins admirables de Dieu, tous ces changements ne sont pas sans vous bouleverser, mes sœurs, et poser de nombreux points d'interrogation dans votre esprit, comme dans le nôtre d'ailleurs[5].

Il crut de bonne foi que le moment était venu de céder la place à d'autres, plus jeunes et, à son sens, mieux capables de s'adapter à des situations nouvelles. Il ne se tortura pas longtemps l'esprit pour prendre sa décision : «J'ai été ici trente-trois

4. *Ibid.*
5. Sermon donné à Campbellton, N.-B., le 15 août 1974, à l'occasion des fêtes du 50e anniversaire de la profession religieuse des fondatrices des Filles de Marie-de-l'Assomption, archives de l'auteur.

ans. [...] J'ai pris une décision hâtive que je n'ai jamais regrettée. La dette était toute payée, il y avait même un surplus en banque, et puis je jugeais que c'était le temps de me retirer. J'ai dit à Mgr Lacroix : "L'année prochaine, le 28 juillet, je me retire[6]."»

L'excellent administrateur qu'il était avait réussi à éteindre la dette de la paroisse car, comme il le disait : «Si j'avais eu cette dette en arrière, je n'aurais pas lâché mon ceinturon; trop orgueilleux pour ça! Comme curé, j'avais signé et si cette dette avait existé, c'est moi qui l'aurait payée[7]!»

Il est axiomatique de dire qu'une démission est un cadeau inespéré pour qui la reçoit! En communiquant sa décision à son évêque, Mgr Pichette fut quelque peu décontenancé, non pas que l'évêque l'accepte, mais que celui-ci ne lui demande pas d'explications et qu'il accepte la démission sans même lui offrir une petite paroisse. «Il semblait content de se débarrasser de moi», dira-t-il[8]. Il n'empêche que, dans son sermon d'adieu à ses paroissiens, il remerciera publiquement son évêque des délicatesses que celui-ci avait eues pour lui, et il l'assurera de son dévouement sur un autre plan. Il tiendra parole.

Eut-il des regrets? «Absolument pas. D'ailleurs j'ai toujours eu pour mon dire qu'il ne faut jamais regretter le passé. On fait son possible. C'est tout ce que le Seigneur demande. Je n'ai pas a regretter le passé. On a fait quelques erreurs dans la paroisse mais, comme me disait un paroissien : "Ne pleurez pas là-dessus, Monseigneur, parce que j'en ai fait de plus grosses que ça dans mes affaires personnelles." De fait, on a très bien réussi[9].»

Ce fut certainement l'avis des six cents paroissiens qui se réunirent le dimanche 20 juin 1971 pour le fêter dans le tem-

---

6. Il prit sa retraite en juillet 1971. La dette était effectivement payée et l'encaisse de la paroisse se chiffrait à 28 000 $. Entretien N. Pichette/R. Pichette, 27 décembre 1988.
7. Entretien N. Pichette/R. Pichette, le 27 décembre 1988.
8. Entretien N. Pichette/R. Pichette, 3 septembre 1990.
9. *Ibid.*

ple qu'il avait érigé, au milieu des mouvements et des œuvres qu'il avait créées ou encouragées. Résumant la carrière de Mgr Pichette, ses qualités d'administrateur, son éloquence et son leadership, l'éditorial de l'hebdomadaire *Le Madawaska* concluait :

> [...] Mgr Pichette s'est tellement identifié à l'activité, à la vie, à l'existence même de la paroisse Notre-Dame-des-Sept-Douleurs qu'on a peine à s'imaginer toute cette section de la ville sans lui.
>
> Cette identification à la vie de sa paroisse, c'est peut-être le trait le plus caractéristique de la vie de Mgr Pichette. Bien sûr la paroisse est née avec lui, mais il ne s'est pas contenté de présider d'une façon détachée à sa naissance et à sa croissance; il s'est vraiment donné corps et âme et y a insufflé une vitalité surprenante. Les paroissiens ont marché sous sa direction avec beaucoup d'enthousiasme; il a su leur donner le feu sacré et ils ont réalisé de grandes choses. Ce pasteur fut un chef[10].

Pour sa part, le curé partant se déclarait confus, s'étant imaginé qu'arrivé sans tambour ni trompette en 1938, il partirait de la même façon. «Quand le rideau tombe l'acteur disparaît. Le temps est venu de céder la responsabilité de la gouverne de cette paroisse à un plus jeune[11].» Rappelant son arrivée pour fonder la paroisse, alors qu'il n'avait que trente-deux ans «et bien peu d'expérience dans le ministère et dans l'administration matérielle d'une paroisse», il faisait appel à la mémoire des anciens en déclarant :

> [...] j'arrivais un peu comme un messie : attendu et voulu. Vous m'avez reçu à bras ouverts. Je vous ai demandé de me faire confiance et je vous ai promis de vous faire confiance afin que nous puissions travailler la main dans la main pour accomplir la tâche immense qui était notre lot. Vous m'attribuez beaucoup de mérite. Ces mérites nous devons les partager; peu de paroissiens savent donner à leur curé une collaboration aussi intelligente, désintéressée et généreuse. Mon plus grand mérite a été de canaliser tou-

10. «Au terme d'une carrière bien remplie», Edmundston, N.-B., *Le Madawaska*, 23 juin 1971.
11. Mgr N. Pichette, «Mon départ de la paroisse Juin 1971», archives de l'auteur.

> tes vos énergies, de vous unir et de vous faire travailler communautairement. On parle beaucoup d'esprit communautaire : nous l'avons eu et c'est ce qui a fait notre force et notre succès.

Et c'est avec les indéniables accents de la sincérité naturelle qu'il prit congé de ses paroissiens en leur disant :

> On dit qu'à vieillir on aime vivre du passé. C'est peut-être vrai, mais il est certain que peu importe l'âge, nous avons tous avantage à faire revivre les beaux souvenirs : quand l'esprit est meublé d'heureux souvenirs, le cœur aime en parler. Les souvenirs que j'emporte de Notre-Dame-des-Sept-Douleurs sont de beaux et d'heureux souvenirs. J'ai été heureux ici et vous avez été bons pour moi. Je ne pars pas sans un serrement de cœur.

Mgr Pichette, qui avait la maestria des collectes de fonds, n'ignorait pas que certains l'avaient affublé du surnom de «Monseigneur Bingo»! Aussi, en remerciant ses anciens paroissiens pour leur générosité, il voulut leur rappeler qu'ils avaient été eux-mêmes responsables de leur réussite : «Tout ce travail a nécessité des appels fréquents à votre générosité. On a dit en certains milieux que j'étais un homme d'argent. Que voulez-vous, on ne fait rien avec rien! Vous avez répondu à mes appels et j'ai la satisfaction de partir laissant la paroisse sans dettes aucunes. Plus de 2 000 000 $!» C'était, selon lui, les sommes qui avaient été engagées par lui pour la paroisse.

Il n'ignorait pas non plus que sa forte personnalité en avait perturbé plus d'un. Certains l'avaient taxé d'absolutisme, d'imposer son opinion et ses solutions. À ce reproche, il avait répondu : «On m'a souvent fait passer pour un "imposeur" de mes opinions, mais je ne l'ai jamais été. Je prévoyais et puis, dans les assemblées, j'exposais mon point de vue puis je disais : "Maintenant la discussion est ouverte : changez, modifiez, enterrez, c'est à vous de décider[12]."» Il est juste de dire qu'il savait être convaincant avec éloquence, mais il s'est toujours voulu un rassembleur plutôt qu'un autocrate.

12. Entrevue Rousselle, CJEM.

Fidèle à son habitude, il ne se contenta pas uniquement de remerciements et de souvenirs du passé dans ce dernier sermon officiel comme curé; il voulut, comme testament spirituel, renchausser l'arbre solide qu'il avait aidé à planter :

> [...] soyez fidèles aux principes religieux, vivez votre foi et donnez à mon successeur la même collaboration que vous m'avez donnée. Nous savons que l'insatisfaction tourmente plusieurs, ce qui occasionne des attitudes et des gestes qui ne sont pas dans la ligne de la dignité chrétienne. Il est facile de critiquer mais difficile de faire, de se rendre utile; et souvent on est victime de ce qu'on dénonce chez les autres. J'ai l'impression que l'égoïsme augmente au lieu de diminuer. On entend trop : je... je... je... je veux ceci, je ne veux pas cela; je veux faire ceci mais pas cela... Le monde de demain, tant sur le plan paroissial que municipal et même mondial, ne sera pas meilleur tant qu'on n'aura pas extirpé la racine du mal et cette racine n'est autre que l'orgueil et l'égoïsme. Chacun veut organiser sa petite vie à sa manière, cherchant ses aises et sa sécurité plutôt que le bonheur des autres.

Il n'avait jamais craint ni récusé le changement pourvu qu'il s'opère dans la fidélité aux grands principes de base. C'est pourquoi il leur dit :

> Il est normal qu'on veuille améliorer les structures actuelles de notre société; mais améliorer ne veut pas dire renier et détruire le passé. L'Église, nous le constatons, subit une autre crise et dans le clergé et chez les laïcs; la barque de Pierre est menacée et ballotée par les flots de l'incroyance et du doute. Notre baptême nous a placé dans l'Église. Quand la barque est ballotée ce n'est pas le temps de la quitter lâchement et de laisser les autres ramer seuls. Ce n'est pas en quittant l'Église ou en cessant de croire qu'on va la sauver. N'allons pas croire que les apôtres et les premiers chrétiens n'avaient pas de doutes; mais il n'ont pas quitté les rangs ni le Christ. «Seigneur à qui irions-nous; toi seul a les paroles de la vie éternelle», dit Pierre. Nous, convaincus qu'il n'y a qu'une seule barque de Pierre, nous devons faire le même acte de foi et le faire très souvent.

M. Edmond Ouellette, l'un des premiers paroissiens et un homme, pour qui Mgr Pichette avait la plus vive admiration, fit au nom des paroissiens la récapitulation de la carrière de leur ancien curé et des réalisations paroissiales et diocésaines dont ils étaient fiers. Ils lui souhaitaient «une retraite sans solitude, avec un repos sans ennui[13]».

Homme énergique doté d'une santé de fer, sans ambitions personnelles, ayant réalisé la mission qui lui avait été confiée à l'origine par Mgr Chiasson, Mgr Pichette n'allait pas passer le reste de ses jours dans la solitude et le repos avec ou sans ennui! Il commença par s'acheter une modeste maison et à faire du ministère dominical, remplaçant un curé ici, en assistant un autre là. Ce fut d'abord à Saint-Léonard, au Nouveau-Brunswick, puis à Grande-Île, dans l'État du Maine, limitrophe du Nouveau-Brunswick et relevant de l'évêché de Portland, où il y avait deux paroisses à desservir.

En 1974, le curé de Caribou, au Maine, le père Saint-Pierre, lui demanda de faire du ministère à chaque fin de semaine. Il le fit pendant quinze ans, disant deux messes et prêchant trois sermons. «La santé était très bonne, mais je me suis dit à moi-même : il faut que j'arrête avant qu'un accident m'arrive, une crise cardiaque ou autre chose[14].» À soixante-dix-huit ans, il réduisit sa charge en acceptant d'aller dire la messe et de prêcher une fois par mois dans une desserte près de la ville américaine de Presqu'isle, une ballade de 160 milles aller et retour! De fait, il ne cessa jamais de faire du ministère, au Maine ou au Madawaska, même dans les toutes dernières années de sa vie. Une santé de fer!

Depuis l'automne 1975, il songeait à créer à Edmundston un complexe d'habitation spécialement conçu pour les aînés. Ce ne fut pas chose facile. Il rencontra des difficultés, même de l'opposition, mais, disait-il, «ce n'est pas la même chose de travailler pour un gouvernement que de travailler pour l'Église! C'est totalement différent[15]!»

---

13. «Vibrant hommage à Mgr Numa Pichette», *ibid.*, p. 4.
14. Entrevue Rousselle/CJEM.
15. *Ibid.* Toutes les citations à propos de la construction des Résidences Mgr-Pichette sont extraites de cette entrevue.

Il commença par faire part de son projet au directeur régional de la Société canadienne d'hypothèques et de logement (SCHL), une agence du gouvernement fédéral, qui, dubitatif, lui fit remarquer qu'il ne s'y connaissait pas beaucoup dans ce genre d'entreprise. Réponse de Mgr Pichette : «Je ne connais absolument rien! Si vous me parliez de presbytère, d'église, de pastorale, alors je pourrais discuter avec vous, mais je ne connais rien à la question. Je ne sais même pas comment commencer. Alors j'aimerais que vous m'indiquiez à qui m'adresser et que vous me disiez quelle est la première chose que je dois faire.»

La première chose à faire, évidemment, était de trouver un terrain. Or, Mgr Pichette en avait un en tête. Ce terrain appartenait aux Filles de Marie-de-l'Assomption qui l'avaient obtenu gratuitement en 1958 de la commission scolaire, pour y construire leur couvent. Sur les instances du curé, la commission avait alors cédé un très grand terrain à partir de la 22e avenue, dans la paroisse. Cependant, ce don était assorti d'une clause parfaitement légitime : les religieuses ne pouvaient ni vendre ni donner ce terrain.

C'est sur une partie de ce terrain que Mgr Pichette avait jeté son dévolu pour y construire le complexe résidentiel de cinquante-six appartements qui porte son nom. Il intervint alors auprès du président de la commission scolaire, le docteur Renaud Côté, qui accepta de bonne grâce de convaincre ses collègues commissaires de délier les religieuses de leur obligation. L'autorisation fut régularisée par le gouvernement provincial.

Restait à convaincre les Filles de Marie-de-l'Assomption de céder au projet le terrain voulu «pour le même prix qu'elles l'avaient payé, c'est-à-dire, pour rien. Elles ont accepté tout de suite.» Le titre de propriété fut transmis à la société propriétaire du complexe le 26 décembre 1975. Des fonctionnaires de la SCHL vinrent sur les lieux pour apprécier le terrain de 332 pieds sur 220, entre les 22e et 24e rues à Edmundston-Est, d'où la vue est imprenable. Ils approuvèrent le site en disant à Mgr Pichette : «On n'en a jamais vu de plus beau. Il est enchanteur. On ne peut faire autre que de le recommander, on vous félicite.»

Enchanteur, il l'était en effet. Si bien qu'un comité de citoyens pour l'amélioration des quartiers de la ville s'était opposé au projet de résidences dans un texte publié dans l'hebdomaire *Le Madawaska*. Le comité exigeait que ce terrain, derrière le couvent des religieuses, soit désigné par la municipalité comme «espace vert»[16]. Mgr Pichette, qui avait la plume aussi facile que la parole et qui ne redoutait aucune controverse, démolit l'argument dans une lettre à la rédaction du journal. «Voyez-vous ça, écrivait-il, un parc en arrière d'un couvent de religieuses? Inutile d'insister : ceux qui peuvent comprendre, comprennent[17].»

Ayant fait le choix du meilleur site sachant qu'il pouvait l'obtenir gratuitement, après toutes les démarches faites, il n'était pas homme à céder sur la chose décidée. Aussi concluait-il son plaidoyer en écrivant : «Oui, le terrain des religieuses est un magnifique terrain pour un pavillon pour personnes âgées. Je suis certain que toute la population qui veut le bien des personnes de l'âge d'or endossera ce projet. Et autour de cet oasis de paix et de bonheur, il y aura du "vert" pour tous[18].»

Mgr Pichette savait comment s'y prendre pour obtenir la coopération des gens. Il mit sur pied un conseil d'administration pour diriger le projet car «quand on agit avec le gouvernement, il faut prendre des précautions. J'avais pris des précautions!» Il voulait un homme de loi, il eut Me Guy Charest, avocat à Edmundston; il voulait un comptable agréé, il eut M. Delbert M. Plourde, qui sera maire d'Edmundston de 1983 à 1986; il voulait des hommes d'affaires, il en eut dix. Outre Mgr Pichette, les membres du premier conseil d'administration furent MM. Alpha Martin, Delbert Plourde, le docteur Renaud Côté, Benoît et Guy Belzile, Me Guy Charest, Alcide Légère, Raoul

16. *Le Madawaska*, s.d.
17. Numa Pichette, P.A., «Un parc sur le terrain des Sœurs?», *ibid.*, s.d.
18. *Ibid.*

Couturier, René Blanchard et Edmond Ouellette, tous anciens paroissiens du parrain du projet.

La construction débuta le vendredi 13 août 1976, sur réception d'un télégramme d'autorisation de la SCHL, qui accordait 1 332 000 $ au projet. Les plans avaient été conçus par la firme d'architecte Soucy & Ellis, d'Edmundston, tandis que la construction était confiée à la société Brunswick Construction, également d'Edmundston. Pour réunir les fonds nécessaires à la réalisation du projet, «[...] une campagne financière a eu lieu auprès de commerçants, hommes d'affaires, compagnies, groupes et associations. Mgr Pichette s'est dit enchanté de cette campagne qui n'a pas fait un gros tapage publicitaire mais qui s'est plutôt faite par des contacts personnels[19].» Mgr Pichette avait précisé qu'avec «Edmond Ouellette et l'aide du comité qui connaissait tout le monde en ville et moi-même qui connaissais les gens de la paroisse [...][20]», la campagne avait été facile et fructueuse.

Pour marquer l'énorme contribution des Filles de Marie-de-l'Assomption à l'œuvre débutante, Mgr Pichette, en remerciant les religieuses, et pour que leur contribution soit connue publiquement, invita la supérieure générale, Sœur Rita Landry, à la cérémonie de la levée de la première pelletée de terre des Résidences[21].

Et au chapitre des contacts personnels, le prélat ne se faisait pas damer le pion. On a vu qu'il avait aplani les difficultés initiales avec la papetière Fraser dès son arrivée dans la paroisse. Hostiles au départ, en 1938, elles étaient excellentes en 1978, si bien que la papetière accorda 15 000 $ au projet, grâce à l'intervention personnelle de son président, feu M. John Fisher, que Mgr Pichette qualifiait «de très humain, et ouvert. On sent qu'il veut contribuer non seulement par des paroles mais par des actes, et nous lui en devons une grande gratitude. Merci

19. Jean L. Pedneault, «Les Résidences Mgr-Pichette ouvertes au public», Edmundston, N.-B., *Le Madawaska*, 1er février 1978.
20. Entrevue Rousselle, CJEM.
21. Mgr Pichette à la Révérende Mère Générale, Edmundston, le 20 août 1976, AGFMA.

Fraser. Merci à la population[22].» Nous sommes loin du sectarisme des années trente!

La ville d'Edmundston fit elle-même une très importante contribution au projet puisque la municipalité installa l'eau et le système d'égouts gratuitement. De plus, la ville devait remettre la somme de 56 000 $ reçue sous forme de subvention fédérale pour ce genre de projets[23].

À cet édifice, il fallait un nom. Mgr Pichette n'a pas imposé le sien, mais il ne s'objecta pas à ce que le conseil d'administration, sur proposition de M. Delbert Plourde, choisisse *Les Résidences Mgr-Pichette* pour désigner le nouveau complexe résidentiel. La mode, à l'époque, était aux «villas» apprêtées à toutes les sauces. Or, selon Mgr Pichette : «Fredericton ne voulait plus entendre parler de villas. Des villas par-ci, des villas par-là. Ça fatiguait d'entendre ça[24].» «C'est vous, Monseigneur, qui êtes l'instigateur de ce projet, et c'est tout naturel qu'on lui donne votre nom», dit M. Plourde. La décision fut prise à l'unanimité[25]. Les Résidences Mgr-Pichette furent inaugurées en 1978, et Mgr Pichette en fut le directeur et l'aumônier jusqu'à sa mort.

Parmi les difficultés auxquelles Mgr Pichette faisait allusion, il faut mentionner l'animosité qui se développa entre lui et le député d'Edmundston, l'honorable Jean-Maurice Simard, aujourd'hui sénateur, alors président du Conseil du Trésor du gouvernement Hatfield. Mgr Pichette comparait défavorablement l'aide substantielle reçue du gouvernement fédéral et l'absence d'aide d'aucune sorte du gouvernement provincial. Quelles qu'en aient été les raisons, réelles ou imaginées, le ton monta de part et d'autres pour dégénérer en vulgaire querelle politique.

Sur ses préférences politiques, Mgr Pichette a toujours observé, même dans la famille, la plus grande discrétion par respect

22. *Le Madawaska, op. cit.*, 1er février 1978.
23. Lettre circulaire sollicitant des contributions signée «Les Résidences Mgr-Pichette» Mgr N. Pichette Pres., s.d. archives de l'auteur.
24. Entrevue Rousselle, CJEM.
25. *Ibid.*

Deux vues des Résidences Mgr-Pichette, 25, boulevard Mgr-Numa-Pichette, Edmundston, N.-B. La vue supérieure montre la façade vers la ville et celle d'en bas montre le complexe au-dessus du couvent des religieuses Filles de Marie-de-l'Assomption en contrebas.

pour ses paroissiens. La famille est plutôt de tradition conservatrice et les allégeances libérales ou conservatrices de ses divers membres ne l'ont jamais divisée. S'il est probable qu'il ait voté pour son frère Albert qui s'était porté candidat libéral dans le comté de Restigouche-Madawaska en 1949, lors d'une élection fédérale complémentaire (qu'il perdit d'ailleurs), et s'il ne cachait pas son admiration, voire son enthousiasme pour les réformes fondamentales entreprises par le gouvernement Robichaud durant les années soixante, il n'est pas avéré qu'il ait été exclusif dans ses préférences électorales personnelles.

Quoi qu'il en soit, Mgr Pichette garda une tenace inimitié contre le sénateur Simard, allant même jusqu'à interdire en personne à monsieur Simard l'accès aux Résidences lors d'une campagne électorale. Le bon droit en ce cas était certes du côté du ministre député, mais l'hostilité du prélat se comprend.

Le jubilé d'or d'ordination sacerdotal du prélat avait donné lieu à une grande manifestation de foi le dimanche 15 juin

1980. Dans l'église qu'il avait fait ériger et dont il était particulièrement fier, Mgr Pichette célébra l'Eucharistie. Durant la cérémonie, Mgr Pichette renouvela sa promesse devant son évêque, Mgr Lacroix, et trois religieuses Filles de Marie-de-l'Assomption, sœur Fernande Lebrun, dont c'était le 40e anniversaire de profession religieuse, sœur Claire Lafrance et sœur Rita Arsenault, dont c'était le 25e, renouvelèrent également leurs vœux.

De nombreux couples renouvelèrent leurs promesses de mariage après 65, 50 et 40 ans de vie conjugale. Un compte-rendu de la cérémonie rapporte que Mgr Lacroix «rendit hommage à Mgr Pichette pour son témoignage de foi religieuse profonde, son esprit de travail admirable surtout durant ses 33 années comme curé fondateur de la paroisse Notre-Dame-des-Sept-Douleurs[26]». L'évêque avait également souligné la constance de Mgr Pichette qui, pendant dix-neuf ans, avait assuré l'animation radiophonique de la prière du matin.

Pour sa part, Mgr Pichette «remercia le Bon Dieu de l'avoir élevé au sacerdoce. Il se dit heureux d'avoir servi le Divin Maître auprès des âmes pendant un demi-siècle.» Après avoir remercié le curé, le père Arthur Godbout, et les organisateurs de cette fête qui l'avait ému, sa famille et les nombreux confrères qui avaient concélébré cette messe avec lui, Mgr Pichette «fit aussi l'éloge de ses anciens paroissiens, les remerciant pour leurs bontés envers lui, et termina par un éloquent plaidoyer en faveur des vocations religieuses et sacerdotales». Il eut droit à une ovation debout, rapporte le journaliste[27].

Le samedi précédant cette solennelle cérémonie, Mgr Pichette, ayant le père François Richard, s.j., comme concélébrant, et l'auteur, chevalier d'obédience de l'Ordre Souverain de Malte, comme servant, avait célébré une messe d'action de grâce en présence de sa famille et des résidents des Résidences Mgr-Pichette. Les vœux avaient été présentés par M. Onil Couturier

26. «Le jubilé sacerdotal de Mgr Pichette célébré par ses anciens paroissiens», *Le Madawaska*, 18 juin 1980.
27. *Ibid.*

Noces d'or d'ordination sacerdotale. Mgr Numa Pichette renouvelant ses promesses d'ordination devant son évêque, Mgr Fernand Lacroix, en l'église Notre-Dame-des-Sept-Douleurs, le 20 juin 1980.

tandis que l'aîné des neveux et des nièces du prélat, Me Gérald Pichette, de Hull, au Québec, offrait les vœux et les félicitations de la famille Pichette[28]. La famille lui offrit une reproduction de ses armoiries prélatices.

Le dimanche 12 juin 1988, la paroisse Notre-Dame-des-Sept-Douleurs célébrait le cinquantenaire de sa fondation. Dans son homélie, Mgr Gérard Dionne retraça à grands et beaux traits l'historique de sa paroisse natale. Nul plus que lui n'y était autorisé; le dimanche où le mandement épiscopal érigeant la nouvelle paroisse fut lu, il servait la première messe de son frère, le père Basile Dionne. Il avait été ordonné prêtre dans l'église temporaire, avait été son vicaire de 1948 à 1956, y avait servi comme curé, fonctions qu'il conserva de 1971 à 1975, pour devenir son évêque en 1983. Qui plus est, il avait été sacré évêque auxiliaire de Sault-Sainte-Marie, en Ontario, en l'église Notre-Dame-des-Sept-Douleurs en 1975.

Après avoir noté que, dès son arrivée, le nouveau curé avait su gagner la confiance de tous ses paroissiens, l'évêque énumérait quelques-unes de ses qualités : «Organisateur-né, prédicateur recherché, vaillant autant que robuste, le Père Numa Pichette fit rapidement une visite de sa paroisse pour créer l'unité des cœurs et des esprits.» Mais qu'est-ce qu'une paroisse? Mgr Dionne en donnait cette définition :

> Cette paroisse a grandi comme la graine de moutarde dont parle l'Évangile qu'on vient d'entendre. Elle est devenue un grand arbre. En un mot, cette communauté chrétienne a été fondée dans la foi et a vécu dans la foi. C'est la foi qui fait la paroisse. Une communauté qui ne croit pas n'a pas de raison de se réunir. Les homélies, les célébrations n'ont de sens que dans la certitude que les assistants croient[29].

De Mgr Pichette, l'évêque dira encore :

> Il n'a pas confiné son apostolat aux limites de cette communauté. Par la radio, la presse, des voyages, des réu-

28. «Fête aux Résidences pour Mgr Pichette», *ibid.*
29. Mgr Gérard Dionne, évêque d'Edmundston, messe du 50e paroisse Notre-Dame-des-Douleurs, dimanche 12 juin, archives de l'auteur.

> nions, il a créé une mentalité, répondu à des problèmes, instruit de la doctrine et fait prier les gens sur les ondes du poste local pendant des années. Les hommes passent mais leurs œuvres les prolongent. Peu d'hommes auront marqué notre ville et la région autant que lui.

Il est rare que le curé fondateur d'une paroisse puisse assister au 50e anniversaire de sa fondation. Il faut y avoir été nommé jeune – il n'avait que trente-deux ans lors de la fondation – et jouir d'une longévité peu commune. Dans son homélie à la messe d'action de grâce le 7 février 1988, qu'il célébrait pour inaugurer les fêtes du cinquantième, il dit à ses anciens paroissiens : «Vous le savez, je n'ai connu qu'une paroisse : c'est celle-ci, que j'ai fondée et à laquelle je suis toujours resté attaché.» Ce fut également l'occasion de rappeler à grands traits les débuts difficiles et de constater les fruits produits par une constante unité communautaire :

> Dans l'histoire d'une institution, 50 ans c'est peu de chose; en fait, ce n'est qu'un commencement. Mais dans l'histoire d'une vie, c'est beaucoup, car ça représente la presque totalité d'une vie active. Pour la génération qui a vécu cet épisode de la fondation et qui a participé activement, c'est un rêve devenu une réalité, un souvenir perdu dans la brume du temps, souvenir d'un travail intense, souvenir de multiples organisations matérielles en un temps de crise économique pendant laquelle il était si difficile de ramasser une piastre, souvenir aussi de tous les cadres religieux et de ces nombreuses heures saintes du dimanche soir qui ont cimenté les bonnes volontés, développé l'esprit de foi et fait monter vers le Seigneur de ferventes prières qui ont attiré les faveurs divines sur cette paroisse. [...] Nous avons été visiblement bénis[30].

Ce fut l'occasion pour lui de définir, non sans nostalgie, ce que la paroisse avait signifié pour lui et les gens de sa génération. Ce qu'il en disait est important, car il s'agissait d'un âge d'or qui ne reviendrait probablement jamais. Ce témoignage délibéré constitue par lui-même une sorte de testament :

---

30. *50 – Paroisse Notre-Dame-des-Sept-Douleurs 1938-1988*, Edmundston, N.-B., comité du 50e anniversaire, p. 68-69.

> Le passé est garant de l'avenir, à condition de tirer profit des leçons reçues. Chez nous, au Canada français, la paroisse a toujours été le centre de la vie religieuse et même profane. On lui donnait une grande importance et on situait quelqu'un en lui demandant à quelle paroisse il appartenait. On voyait la paroisse comme création technique d'une société éminemment chrétienne avec ses écoles, sa vie personnelle, avec son clocher qui indiquait le ciel pardessus les toits, et les cloches qui carillonnaient ou qui tintaient les joies et les deuils des familles. La paroisse, on la voyait comme sauveur du peuple, le sauveur des âmes, des familles et des mœurs. C'est la paroisse qui a fait le Canada français; elle était l'armure de la nation[31].

La paroisse, organisme vivant, avait aussi son esprit particulier qui en faisait le moteur de la vie spirituelle et civique :

> L'esprit paroissial consistait à avoir conscience qu'on était membre de la grande famille paroissiale et, donc, qu'on avait une place déterminée dans cette paroisse et, surtout, qu'on avait un rôle à jouer. On n'était pas isolé, encore moins abandonné, car on pouvait compter sur l'appui moral et même matériel du prêtre et de ses co-paroissiens. Cet esprit paroissial donnait la conviction qu'il fallait se dévouer pour le bien commun d'une façon pratique, qu'il fallait consentir les sacrifices nécessaires et fréquents pour édifier le plus beau temple possible au bon Dieu et pour faire vivre les œuvres paroissiales. Tout bon paroissien se voyait donc membre d'une grande famille et se devait de pratiquer les deux grandes vertus sociales : la charité et la justice[32].

Cet esprit paroissial était un vecteur d'énergie et de dévouement, d'unité aussi : «Plusieurs membres en un seul corps dans le Christ, nous sommes membres chacun les uns des autres» (Rom. XII-5). Notre-Dame-des-Sept-Douleurs avait été un exemple type de cet âge d'or :

> Dans la mesure du possible, il fallait que la paroisse soit un tout, qu'elle ait tous ses services religieux et sociaux. On ne concevait pas qu'un enfant aille à une école autre que l'école paroissiale. On voulait sa Caisse Populaire, sa banque et, si possible, son corps policier et ses pompiers.

---

31. *Ibid.*, p. 69.
32. *Ibid.*

> Quand quelqu'un disait «ma paroisse», on savait d'où il venait et on sentait qu'il y avait de la fierté à demeurer dans cette paroisse. Notre-Dame-des-Sept-Douleurs n'a pas fait exception à cette règle. Tous ceux et celles qui ont demeuré ici quelque temps, savent l'esprit qui animait les paroissiens, le dévouement et la générosité qui ont caractérisé ses enfants. Les magnifiques édifices qui ornent cette paroisse ainsi que les organisations de scouts et de guides, la Ligue du Sacré-Cœur, les Dames Chrétiennes et, plus tard, les Filles d'Isabelle, sont autant de témoins muets de cet esprit de dévouement, de cette générosité et de cet esprit paroissial. Merci à ceux et celles qui ont travaillé à créer et à développer cet esprit[33].

Ce cinquantenaire occasionna aussi une cocasse querelle de clocher, digne de Clochemerle, qui devait défrayer la chronique et alimenter l'hostilité latente entre Mgr Pichette et le sénateur Simard.

Les Résidences Mgr-Pichette avaient été construites sur la 24e avenue, en bordure de la route transcanadienne. En 1984, le sénateur Simard, alors député et ministre, était intervenu auprès du conseil municipal d'Edmundston pour que cette avenue soit désignée dorénavant sous le nom de rue du 15 août. Une résolution du conseil municipal adoptée le 29 mai 1984 se rendait au désir du ministre Simard. Cette décision, cependant, fut loin de faire l'unanimité de sorte qu'en juin 1986, des citoyens demandaient qu'elle soit modifiée. Le conseil municipal maintint sa décision originelle.

La suggestion de monsieur Simard était incontestablement motivée par d'excellentes raisons. Il s'agissait de commémorer l'apport des Acadiens à la fondation du Madawaska, le 15 août, fête de l'Assomption, étant la fête nationale de l'Acadie. De plus, 1984 marquait le centième anniversaire de l'adoption du drapeau de l'Acadie. Monsieur Simard s'était expliqué, en 1986, sur la portée de son geste :

> Ce n'était pas par hasard que j'avais proposé la 24e avenue. Elle longe le Musée historique du Madawaska, débouche sur la Cité-des-Jeunes. Elle devient ainsi un cons-

33. *Ibid.*, p. 70-71.

> tant rappel à nos visiteurs et à nos jeunes de notre sens de l'appartenance. Étant donné qu'elle longe également la transcanadienne et qu'elle deviendra d'ailleurs une entrée chez nous, elle rappellera à tous ceux et celles qui arrivent dans notre région en provenance du Québec qu'ils arrivent en terre acadienne, tout autant brayonne que néo-brunswickoise[34].

Sentiments fort louables, mais l'ensemble de la population du Madawaska ne se considère pas nécessairement acadienne. Depuis un temps immémorial, la majorité chérit une certaine indépendance, celle-là même que redoutait tant Mgr Pichette lorsqu'il vint fonder la paroisse de Notre-Dame-des-Sept-Douleurs. Cet attachement à une spécificité propre s'est concrétisé par la mythique République du Madawaska, qui eut une réelle mais éphémère existence au 19e siècle, n'en déplaise à certains révisionnistes[35]. Il s'est développé autour de cette tenace République une panoplie de symboles, y compris un drapeau, périodiquement contestés par des groupuscules ultranationalistes acadiens. Même l'appellation de «Brayons», longtemps populaire pour désigner les citoyens de la République, est sérieusement contestée du point de vue historique.

Ces arguties de part et d'autre ne servent qu'à alimenter de stériles mais parfois virulents débats car, quand tout est dit, c'est le peuple qui décide dans sa sagesse innée des symboles qu'il accepte ou qu'il rejette. Il en change quand il le veut, et l'on sait d'expérience qu'au Madawaska, la population s'exprime avec vigueur. Jusque-là, Mgr Pichette n'est pas en cause, mais à l'approche du 50e anniversaire de la fondation de la paroisse Notre-Dame-des-Sept-Douleurs, c'est-à-dire en 1988, le débat de la rue du 15 août devait prendre une nouvelle tournure l'impliquant directement.

Un groupe de paroissiens se mit en tête de faire changer le nom de la rue du 15 août en rue Mgr-Pichette pour «immortali-

---

34. *Le Madawaska*, 4 juin 1986, p. 3-A.
35. Robert Pichette, «La République du Madawaska : de l'éphémère au mythe», Colloque international de l'Association française d'études canadiennes «Acadiens : mythes et réalités», Université de Poitiers, Poitiers, France, Institut d'études acadiennes et québécoises, 9 juin 1994.

ser le nom de ce prêtre et bâtisseur». Il est rare, en effet, qu'une paroisse puisse célébrer un anniversaire de ce genre du vivant de son fondateur. Finalement, une pétition portant 1 700 noms exigeant que la rue du 15 août soit rebaptisée en rue Mgr-Pichette, fut présentée par M. Gilles Cormier au conseil municipal réuni sous la présidence du maire, M. J. Pius Bard. Le 11 avril 1988, au cours d'une session fort animée, le conseiller du quartier n° 1, M. Louis J. Lavoie, maire d'Edmundston de 1977 à 1980, proposa la résolution qui fut adoptée à cinq contre trois. Les Solon municipaux d'Edmundston prirent une décision que n'eût pas désavouée Salomon : la rue du 15 août fut sectionnée en deux; l'une devenant le boulevard Mgr-Numa-Pichette et l'autre le boulevard de l'Acadie[36].

On aurait pu croire que l'honneur était sauf puisque le motif originel proposé par le sénateur était retenu et que, d'autre part, le prélat avait dorénavant non pas pignon sur rue mais résidence sur son propre boulevard! Pourtant la décision du conseil municipal d'Edmundston rendit fort chagrin le rédacteur en chef de l'éphémère quotidien de Moncton, *Le Matin*, dont le président-directeur général n'était autre que le sénateur Simard!

En éditorial, M. Rino Morin Rossignol, originaire d'Edmundston, ancien chef de cabinet de M. Simard, s'en prenait aux arguments utilisés pour faire changer le nom de la rue du 15 août. Qualifiant le prélat de «célèbre monseigneur local, bâtisseur de la paroisse Notre-Dame-des-Sept-Douleurs[37]», l'éditorialiste offrait plusieurs options pour honorer Mgr Pichette. Il estimait que :

> [...] Puisqu'il s'agit de la paroisse de Notre-Dame-des-Sept-Douleurs, pourquoi rajouter une huitième douleur, en retirant le nom d'une rue qui célèbre sa fête, à celle qui est

36. Denise D'Astous Morin, «Boulevard Mgr-Pichette et de l'Acadie : La 15 août n'est plus», *Le Madawaska*, 13 avril 1988, p. 1., et Denise D'Astous Morin, «1 700 lettres de citoyens ont convaincu le Conseil», *ibid.*, p. 3-A.
37. Rino Morin Rossignol, «Panique, rue du 15 août», Moncton, *Le Matin*, vendredi, 8 avril 1988, p. 6.

> non seulement patronne de l'Acadie, mais Reine de l'Église. Entre Marie et Monseigneur, tout chrétien devrait pouvoir établir un ordre de priorité sans trop de difficultés. «À Jésus par Marie», disait saint Pierre Chanel[38].

On ne connaissait pas, jusque-là, au rédacteur en chef du *Matin* des qualités de théologien, encore moins de Père de l'Église. En réalité, il n'était que le porte-parole de son patron, dont la farouche partisanerie politique occulta souvent d'indéniables qualités. Pour *Le Matin*, ce changement de nom de rue n'était qu'une humiliation dirigée contre l'ancien ministre. L'éditorialiste réduisait la question à sa plus simple expression :

> On l'aura deviné, derrière cet «hommage» à Mgr Pichette, se cache de la partisanerie locale, aussi vilaine que politique. Derrière cette affaire, est-ce vraiment un hommage que l'on veut rendre à Mgr Pichette ou n'est-ce pas plutôt une façon bien mesquine de se servir de Mgr Pichette pour se payer une petite «vengeance» sur M. Simard, parce qu'il est Conservateur[39]?

Inutile de préciser que Mgr Pichette ne se trouvait pour rien, ni de près ni de loin, dans cette histoire.

Toujours en bonne santé et ennemi de l'oisiveté, tenant à rendre service, Mgr Pichette continua à faire du ministère partout où on le demandait. Constamment soucieux de mettre en valeur la doctrine orthodoxe de l'Église, il écrivit plusieurs articles et lettres à la rédaction des journaux, notamment pour s'opposer à l'immoralité des clubs d'effeuilleuses[40], de la pornographie, du non-respect du dimanche, entre autres.

Suivant en cela l'exemple de Mgr Melanson alors qu'il était curé de Campbellton, il publia plusieurs textes dans l'hebdomadaire *Le Madawaska* expliquant, défendant, proclamant la doctrine de l'Église sur des sujets comme «La Liberté Religieuse», «La Pastorale des Divorcés remariés», «Deux aspects différents

---

38. *Ibid.*
39. *Ibid.*
40. [Mgr] N. Pichette, «Stop Clubs Offering "Moral Pollution", *The Telegraph-Journal*, Saint-Jean, N.-B., 18 janvier 1984.

de l'Église» et «Réflexions»[41]. Dans ce dernier texte, il résumait avec clarté et économie toute sa philosophie :

> On a parlé de «nouvelle moralité» comme si la morale avait évolué au gré de la fantaisie et des folies des individus et de la grande société. L'Église n'est ni progressiste ou libérale, ni rigoriste ou conservatrice; elle est traditionaliste en ce sens qu'elle ne peut pas se séparer de l'enseignement du Christ son fondateur qui lui a donné le pouvoir d'interpréter les Saintes Écritures : «Celui qui vous écoute m'écoute et celui qui vous méprise me méprise.» La vérité est parfois dure à accepter mais elle est la vérité quand même, et nous devons la respecter[42].

On ne s'étonnera pas qu'il ait conclu ce texte en écrivant : «N'ayons jamais honte ni peur de proclamer la vérité.» Ce ne fut jamais son cas!

En juin 1990, il célébrait son 60e anniversaire d'ordination sacerdotale parmi ses anciens paroissiens, dans son église et avec son évêque, Mgr Dionne, et de nombreux confrères. Pour souligner cet événement rare, les paroissiens de Notre-Dame-des-Douleurs érigèrent une plaque commémorative à l'entrée de l'église que le curé fondateur fut invité à dévoiler.

Monseigneur Dionne, dans son homélie, disait :

> Si on me demandait de donner le qualificatif principal de notre ancien curé, s'il fallait résumer la vie du fondateur de cette communauté chrétienne – je dirais qu'il fut l'homme de la paroisse : de cette paroisse, et l'homme de l'éducation. [...] Il y consacra sa robuste santé, ses talents, son énergie. Il fut aussi l'éducateur de la foi, le rassembleur du peuple de Dieu, l'homme de l'école bien orientée. Combien de fois je l'ai entendu dire : l'école avant l'église, car si l'enfant n'est pas bien éduqué de la vérité à l'école, il ne viendra pas à l'église. Son désir de l'éducation l'a poussé également vers l'usage de la radio, de l'écrit, des foyers-écoles pour assurer un rendement intégral de l'éducation à tout niveau[43].

---

41. Textes originaux, s.d., archives de l'auteur.
42. *Ibid.*
43. Mgr Gérard Dionne, évêque d'Edmundston, «Mgr Numa Pichette, P.A., le dimanche 17 juin 1990, paroisse N.-D.-des-Douleurs», archives de l'auteur.

L'évêque fit remarquer que, retraité «depuis près de 20 ans, il a à peine diminué la vitesse de croisière de ses activités : prédications, remplacement de prêtres, aide variée selon les besoins ou les demandes, il continue à 84 ans de vivre sa vie endiablée avec une santé encore robuste et une jeunesse déconcertante».

Et Mgr Dionne conclut ce chaleureux hommage sur la note juste :

> Pour vous, Monseigneur, je veux vous présenter mes vœux de santé et de longue jeunesse dans la joie du passé et l'espérance de ce qui vient. Merci pour la solidité de votre foi, la puissance de votre enseignement, la fidélité de votre apostolat – et la présence continue de votre ministère. Que le Seigneur vous garde et que l'Eucharistie que nous célébrons [la Fête-Dieu] nous donne le goût de ce qui est vrai, juste et bon. Le diocèse d'Edmundston vous remercie pour 52 années de service et un apostolat varié, efficace et durable.

Dans son adresse aux fidèles, Mgr Pichette avait alors déclaré, mi-figue, mi-raisin : «Je vous convie tous à être présents lors de mon 75e anniversaire de vie sacerdotale[44].» C'était un rendez-vous pour l'an 2005, et il aurait eu 99 ans! La robuste santé allait bientôt céder et la «longue jeunesse dans la joie du passé», pour reprendre l'heureuse expression de Mgr Dionne, allait glisser «vers l'espérance de ce qui vient». Dans ses *Mémoires d'Outre-tombe*, Chateaubriand n'a-t-il pas écrit : «[...] et cependant les illusions surabondent, et plus on est près de sa fin et plus on croit vivre». Mgr Pichette ne serait pas au rendez-vous de l'an 2005.

Noces de diamant d'ordination sacerdotale. Mgr Numa Pichette, assisté du curé de Notre-Dame-des-Sept-Douleurs, le père Normand Godbout, dévoile une plaque commémorative à l'entrée de l'église Notre-Dame-des-Sept-Douleurs, juin 1990.

CHAPITRE 8

«LE GÉANT A TOMBÉ.»

«Et j'entendis une voix du ciel qui me dit : Écrivez :
Heureux sont les morts qui meurent dans le Seigneur.
Dès maintenant, dit l'Esprit, ils se reposeront
de leurs travaux, car leurs œuvres les suivent.»

Apocalypse XIV, 13.

Si le général de Gaulle constatait non sans regret, paraphrasant quelqu'un d'autre, que «la vieillesse est un naufrage», Numa Pichette, lui, occupé à vivre, ne s'en rendit jamais compte. Car la vie est une occupation de tous les jours pour qui la goûte sensément. Cet homme qui avait de l'énergie à revendre aimait la vie. L'un de ses anciens condisciples à Pointe-de-l'Église, Mgr Nil Thériault, dira de lui qu'il était fait pour vivre.

Loin d'être un poncif, l'observation du prélat visait juste. À plus de quatre-vingt-cinq ans, Mgr Pichette n'avait certes aucune illusion sur l'inéluctabilité de sa propre fin. Sa qualité de prêtre et sa foi lui rendaient naturellement la mort non seulement familière, mais encore comme étant le parachèvement de la vie d'un chrétien.

L'homme éminemment ordonné qu'il fut toute sa vie s'était préparé depuis longtemps à ce passage d'une vie à l'autre, mais lorsqu'il fut foudroyé par le cancer qui devait l'emporter rapidement, il fut quand même surpris que ce soit, cette fois, son tour, et son goût de la vie lui fit espérer que l'échéance inévitable en soit reportée. Si bien qu'il dira à un confrère et ami qui l'assista dans son agonie, le père Georges Fournier, qu'en dépit d'avoir préparé d'innombrables personnes à la mort et que malgré qu'il eût quotidiennement prié pour se préparer à la sienne – une très belle prière en ce sens se trouvait dans son bréviaire –, il s'étonnait de la difficulté de l'affronter.

Les premiers signes de sa maladie furent foudroyants. Il célébra la messe dans la nuit de Noël à l'intention des résidents des Résidences Mgr-Pichette. Après la traditionnelle collation de la nuit de Noël prise dans son appartement, il se coucha pour ne plus se relever. Foudroyé durant la nuit, il ne fut trouvé qu'au matin, étendu sur le plancher, incapable de bouger. On le transporta à l'hôpital régional d'Edmundston et le diagnostic ne devait pas tarder. Pourtant il espérait. On le déplaça à Québec, et le diagnostic fut confirmé. C'était un verdict. Il revint à Edmundston, parfaitement conscient de la mort qui l'attendait, et prit ses dernières dispositions.

La maladie progressa rapidement. Au moins, elle lui épargna une trop lente et pénible agonie. Il s'éteignit le 19 février 1993 vers midi. Sa sœur Corinne et son neveu Robert étaient présents. C'est elle qui lui ferma les yeux.

Il conserva une étonnante vigueur jusqu'à la fin, conversant avec parents, amis et confrères. Il aimait la visite, connaissait ses visiteurs et se montrait curieux de la vie qui l'entourait encore. Jamais seul, redoutant la nuit, parfaitement lucide jusqu'à l'agonie, sans jamais se plaindre, cet homme qui était tout d'une pièce allait jusqu'à cajoler infirmier et neveu, pour qu'ils l'aident à se lever afin de marcher dans une ultime tentative d'échec à la mort, tant il est vrai que là où il y a de la vie, il y a de l'espoir.

Rationnellement, chrétiennement, il savait que les jours et les heures lui étaient désormais comptés, mais le cœur était solide[1] et la volonté de vivre forte. «Le géant a tombé», dira

---

1. L'autopsie confirma le diagnostic d'un cancer du pancréas, mais révéla qu'il avait déjà subi à une époque antérieure un infarctus du myocarde, ce dont il ne s'était jamais rendu compte!

monseigneur Dionne dans son homélie. C'était vrai au propre et au figuré.

On naît seul. On meurt seul. À l'heure du passage d'une vie à l'autre, quels liens se tissent entre le mourant et son créateur? L'heure des confidences est terminée, la réalité est acceptée. Ainsi, durant sa dernière nuit, entouré, après qu'on eut tenté de remettre de l'ordre dans ses draps afin qu'il soit plus à l'aise, dira-t-il : «Laisse, ça n'a plus d'importance.» Il mourut comme il l'avait souhaité, avec «le grand bonheur de recevoir une dernière absolution, le Saint Viatique et l'Onction Sainte qui me purifieront et ainsi me permettront de passer de la terre au ciel. Veni Domine Jesus, veni[2].»

Mgr Pichette n'avait pas attendu ces dernières semaines pour se préparer spirituellement et matériellement. De la part d'un homme d'ordre comme lui, c'eût été contre nature. Le 6 septembre 1974, soit dix-huit ans avant sa mort, il avait rédigé ses dernières volontés spirituelles, choisi la prière qui devait être imprimée sur le mémento mortuaire, rédigé le court texte biographique du mémento et réglé tous les arrangements funéraires qu'il avait confiés à la maison J.B. Côté et Fils Ltée. Même ce choix n'était pas dû au hasard, car il avait la plus grande estime pour la famille Côté; des paroissiens qu'il avait encouragés et dont il appréciait le dévouement et la loyauté.

Viscéralement attaché à la paroisse qu'il avait fondée, il avait voulu être inhumé dans le cimetière de Notre-Dame-des-Douleurs. Le superbe orateur qu'il avait été, lui qui avait si souvent prononcé l'éloge des autres, souhaitait «qu'aucun éloge funèbre ne soit prononcé, mais qu'une courte homélie soit faite pour exhorter les fidèles à prier pour moi et les exhorter à se bien préparer pour le moment suprême».

Renouvelant sa profession de foi catholique, il demandait pardon à ses confrères et aux personnes qu'il aurait pu offenser et remerciait son évêque, ses confrères et toutes les personnes qui lui avaient manifesté des bontés. Prêtre pour l'éternité

---

2. «Les volontés spirituelles de Mgr Pichette», *Le Madawaska*, 26 février 1992, p. 2-A.

et toujours conscient du caractère sacré que confère l'ordination, Mgr Pichette avait écrit simplement : «J'ai toujours aimé mon sacerdoce : j'ai essayé de lui faire honneur.»

Fortement influencé par l'exemple de Mgr Melanson, c'est en lui rendant hommage en 1972, lors du cinquantième anniversaire de la fondation des Filles de Marie-de-l'Assomption, qu'il définit parfaitement son concept du sacerdoce et de la vie religieuse :

> En un temps où beaucoup de prêtres remettent leur sacerdoce en question et même l'abandonnent, en un temps où on cherche de nouveaux ministères, et même à faire disparaître «l'institution», en un temps où il s'agirait «de se laïciser pour pouvoir ainsi plus facilement pénétrer dans la société» comme le disait Paul VI en février dernier, je crois que nous, prêtres et religieuses d'aujourd'hui, avons tout à gagner à méditer la vie simple et pauvre d'un saint prêtre qui, loin de perdre son temps à contester et à chercher des structures magiques d'apostolat, acceptait le travail comme il se présentait, se donnait sans compter aux âmes et puisait son esprit de foi, de sacrifice et de dévouement dans la prière et sa dévotion à Marie[3].

Ce témoignage est éloquent dans sa simplicité même, car il résume à lui seul la haute idée qu'il avait non seulement de son sacerdoce et de la vie religieuse, mais encore de l'engagement apostolique de toute une vie.

Des milliers de gens vinrent lui rendre un ultime hommage en chapelle ardente. Les funérailles, présidées par Mgr Dionne, eurent lieu le 24 février en l'église bondée de fidèles qu'il avait fait construire et qu'il aimait. L'évêque était assisté du père Normand Godbout, curé actuel, et du père Georges Fournier, curé de la paroisse de Saint-Hilaire, grand ami du défunt; il avait été son vicaire (1956-1958) et lui succéda en qualité de

---

3. Discours prononcé lors du dévoilement d'une plaque commémorative à la mémoire de Mgr Melanson, maison-mère des Filles de Marie-de-l'Assomption, Campbellton, le 15 août 1972. AGFMA BC 529.H67J 105.

directeur général des Résidences Mgr-Pichette. Une quarantaine de prêtres concélébrèrent la messe[4].

Mgr Pichette avait été un membre très actif des Chevaliers de Colomb. Ce furent les chevaliers des troisième et quatrième degrés qui assurèrent la garde d'honneur autour du cercueil.

Fils de la paroisse, ancien vicaire de Mgr Pichette, son successeur comme curé de Notre-Dame-des-Douleurs, Mgr Dionne, rappela dans son homélie les trente-trois années que le défunt avait passées à fonder et à diriger la paroisse : «Nous sommes les enfants de celui qui nous rassemble», dira-t-il après avoir dit qu'il a «étonné, stimulé son milieu». Évoquant la foi du défunt, l'évêque précisa que le curé fondateur avait «hérité de la ténacité, du sens des affaires et de la santé de son père. De sa mère il a hérité de la foi.» Et assurément de sa dévotion mariale également.

L'évêque, après avoir parlé de l'intérêt constamment manifesté par le défunt pour l'éducation, souligné ses qualités d'orateur et ses réalisations matérielles, rappela qu'il léguait aussi un héritage spirituel important. Et l'évêque conclut : «Ce qui rend acceptable l'inacceptable, c'est la foi en la résurrection. Dieu seul est immortel. Nous sommes tous égaux vis-à-vis de la mort. On ne meurt pas, mais on entre dans la vie éternelle.»

Si, à la demande expresse du défunt, il n'y eut pas d'éloge funèbre, le président du conseil de pastorale paroissial, M. Normand M. Clavet, put rendre durant la messe un hommage au curé fondateur en termes éloquents et qui résument admirablement bien la vie du pasteur :

> Une semaine avant son décès, je faisais une dernière visite à Mgr Pichette, dans le but de lui dire merci pour tout ce qu'il avait fait pour cette paroisse qui est la nôtre et qui fut la sienne pendant plus d'un demi-siècle.

---

4. Les renseignements et les citations se rapportant aux funérailles sont extraits de Jean L. Pedneault, «Les funérailles de Mgr Pichette mobilisent une foule reconnaissante», Edmundston, N.-B., *Le Madawaska*, 26 février 1992, p. 1.

> Malgré sa maladie, ce fut avec beaucoup de fierté, et un soupçon de nostalgie, qu'il me fit remarquer qu'il avait été responsable de l'achat d'à peu près tout ce qui nous est donné de voir dans l'enceinte de ce magnifique temple qu'il avait lui-même fait construire. Et, en guise d'explication, il ajoute ceci : «Tu sais, j'ai toujours aimé le beau.»
>
> Un simple regard sur notre entourage nous permet de constater la véracité de cette affirmation. Mais il y a bien plus que ce que nos yeux peuvent voir. S'il aimait le beau dans les choses matérielles, Mgr Pichette appréciait davantage tout le beau et le bon qu'il retrouvait chez ses paroissiens et paroissiennes. Non seulement il savait reconnaître toutes les qualités et capacités que l'être humain peut contenir, mais il a également su les faire fructifier par la mise en place d'organismes paroissiaux où chacun et chacune furent en mesure de donner le meilleur d'eux-mêmes. Du même coup, il réussit à établir une relève, capable de se prendre en main et, en collaboration avec ses successeurs, de continuer à bâtir une communauté unie, fraternelle et vivante[5].

Reprenant une citation de l'homélie prononcée par Mgr Pichette à l'occasion du cinquantenaire de la paroisse, quatre ans plus tôt – «La paroisse sera forte et en santé si tous les paroissiens lui donnent leur appui» –, Monsieur Clavet concluait son hommage en ces termes :

> Fort de ce principe, il fut aussi bien un bâtisseur au niveau des personnes et organismes qu'au niveau des édifices.
>
> Pour ce double héritage qu'il nous lègue, nous sommes reconnaissants. Nous pouvons, individuellement et collectivement, dire un sincère merci à celui qui nous laisse orphelins aujourd'hui, puisqu'il fut vraiment le père de cette belle paroisse.

Reprenant en éditorial le thème du bâtisseur et du rassembleur que Mgr Numa Pichette fut «dès son arrivée et pendant toute sa carrière sacerdotale», Jean L. Pedneault concluait : «... c'est la perte d'un travailleur énergique et d'un pasteur aimé

---

5. «Hommage à Mgr Numa Pichette», Normand M. Clavet, Edmundston, église Notre-Dame-des-Douleurs, le 24 février 1992, archives de l'auteur.

et aimant. Il fait partie de la catégorie de ceux et celles qui ont façonné notre histoire locale et régionale[6].»

Mgr Pichette n'avait pas de regrets et ne regrettait pas le passé, sans doute parce que, sa vie durant, il avait les yeux tournés sur l'avenir. Il n'y a pas de recette de vie; il n'y a que des principes. Celui qui le guida est étonnant de grandeur par sa simplicité : «On fait son possible, c'est tout ce que le Seigneur demande», disait-il. Pas plus que Mgr Melanson il n'avait cherché des formules magiques d'apostolat. Il avait simplement accepté le travail comme il se présentait.

Chaque vie, si humble soit-elle, a droit à son histoire. Celle-ci est le récit d'un homme d'action, de convictions soutenues parfois avec véhémence et force, de service, de foi. Point n'est besoin d'ajouter à cette vie si ce n'est de citer cet autre homme de foi, Chateaubriand : «Il y a deux conséquences dans l'histoire, l'une immédiate et qui est à l'instant connue, l'autre éloignée et qu'on n'aperçoit pas d'abord. Ces conséquences souvent se contredisent; les unes viennent de notre courte sagesse, les autres de la sagesse perdurable. L'événement providentiel apparaît après l'événement humain. Dieu se lève derrière les hommes[7].»

---

6. Jean L. Pedneault, «Mgr Numa Pichette, le bâtisseur, n'est plus», éditorial, *Le Madawaska*, 26 février 1992, p. 4-A.
7. Chateaubriand, *Mémoires d'Outre-tombe*.

ANNEXES

DOCUMENT I

RÉFLEXIONS SUR DIVERS SUJETS

«Songez au malheur des peuples qui, ayant rompu l'unité,
se rompent en tant de morceaux,
et ne voient plus dans leur religion
que la confusion de l'enfer et l'horreur de la mort.
Ah! prenons garde que ce mal ne gagne;
déjà nous ne voyons que trop parmi nous
de ces esprits libertins, qui, sans savoir ni la religion,
ni ses fondemens, ni ses origines, ni sa suite,
blasphèment ce qu'ils ignorent et se corrompent
dans ce qu'ils savent; nuées sans eau, docteurs sans doctrine,
qui pour toute autorité ont leur hardiesse,
et pour toute science leurs décisions précipitées...»

Bossuet, *Sermon d'ouverture de l'Assemblée du clergé*,
9 novembre 1681.

Excellent et éloquent communicateur, que ce soit par l'écrit ou par la parole, Mgr Pichette, en toutes occasions, qu'elles fussent religieuses ou civiles, a cherché à prêcher au sens d'enseigner, littéralement de porter la Bonne Nouvelle en conformité avec les injonctions évangéliques : «Allez donc, de toutes les nations faites des disciples, les baptisant au nom du Père et du Fils et du Saint-Esprit, et leur apprenant à observer tout ce que je vous ai prescrit.» (Matthieu 28, 19-20). Et cette autre : «Celui qui vous écoute m'écoute, celui qui vous méprise me méprise. S'il ne veut pas écouter l'Église, regardez-le comme un païen et un publicain.» (Luc, 10-16).

La plupart de ses homélies (on disait alors sermons) n'étaient pas écrites; il se contentait de noter sur un ou plusieurs feuillets les idées qu'il entendait développer. D'autres, pour des circonstances plus solennelles, étaient dactylographiées. De son vivant, l'auteur et lui-même en firent une sélection de thèmes divers. Dans chacune de ses homélies, dans chaque discours et dans chaque article perce le souci d'expliquer la doctrine de l'Église. Il était en ce domaine de la plus parfaite orthodoxie.

Il a semblé utile d'extraire de ces textes des passages parmi les plus révélateurs; choix arbitraire de l'auteur qui les a regroupés par thèmes, pour ainsi prolonger par-delà la mort l'action évangélique d'un homme qui n'aimait pas parler pour ne rien dire.

L'Église

C'est un secret pour personne qu'il y a de nombreux conflits dans l'Église. La plupart des communautés-paroisses, diocèses, écoles, monastères et couvents sont divisés entre ce qu'on convient d'appeler les «libéraux» et les «conservateurs». Ces termes sont empruntés, comme nous le savons, du monde de la politique et sont plutôt vagues, mais ils nous aident à comprendre la division qui existe entre communautés catholiques qui devraient être d'un seul esprit et d'un seul cœur. Ces divisions ne devraient pas exister, car il est certain que le Christ ne peut être un sujet de division surtout en des matières importantes. La raison d'être principale de ces divisions vient du fait qu'on a deux différentes vues de l'Église, la vue libérale et la vue conservatrice.

Ceux qu'on appelle «libéraux» sont ceux qui s'occupent plus du futur que du passé. Ils négligent l'histoire de l'Église et regardent l'Église d'avant Vatican II comme étant légaliste, répressive et pas assez humaine. Philosophiquement, ces catholiques optent pour différentes formes d'idéalisme, de relativisme et de matérialisme. [...] Faisant fi de la philosophie scolastique de saint Thomas, de saint Bonaventure, Bellarmin et Maritain, ils préfèrent s'en tenir à la doctrine de Kant, de Kierkegaard, de Hegel, de Freud et autres, doctrine sur laquelle est fondée le protestantisme. Cette doctrine est celle du subjectivisme – chacun fait SA vérité; en d'autres mots, ce qui est vrai aujourd'hui au point de vue doctrinal peut être faux demain.

[...] Ce qui caractérise les catholiques «conservateurs», c'est leur croyance en la tradition et la continuité avec le passé. La plupart des catholiques ne s'opposent pas aux changements entérinés par Vatican II. Ils acceptent ce que l'autorité dans l'Église enseigne mais refusent de croire ce que certains individualistes enseignent. Pour eux, les adeptes de Mgr Lefebvre sont à un extrême condamnables et les catholiques «libéraux» sont à l'autre extrême tout aussi condamnables.

Les catholiques «conservateurs» croient à la divinité du Christ, à l'Église catholique romaine fondée par Lui, croient au péché originel, au démon et à tout ce que le Souverain Pontife enseigne; ils croient au salut opéré par Jésus, à la destinée éternelle et à la nécessité de garder les commandements de Dieu et à fréquenter les sacrements et à s'adonner à la prière et à la pratique de bonnes œuvres pour obtenir ce salut opéré par Jésus. Nous croyons en la nécessité de l'Église et à l'infaillibilité du Pape; nous croyons aussi que les dogmes définis par l'Église comme étant des vérités de foi ne peuvent être changés; les vérités doctrinales demeurent toujours vérités doctrinales.

Texte sans date ni indication de publication,
mais destiné à *Le Madawaska*.

La liberté religieuse

De plus en plus nous entendons parler de liberté et de liberté religieuse. Le Concile Vatican II en a parlé dans le document «Du droit de la personne et des communautés à la liberté sociale et civile en matière religieuse». L'Église reconnaît que nous ne devons pas agir sous la pression d'une contrainte, mais guidés par la conscience de notre devoir. Par liberté, il ne faut pas entendre la licence de faire n'importe qu'elle fantaisie et ainsi se conduire comme nous le voulons. Il est certain que la dignité humaine réclame pour l'homme la faculté de se conduire lui-même, de décider lui-même de l'orientation de sa vie. Toutefois, si l'homme est physiquement libre, il reste qu'il est soumis à des lois civiles : nous ne sommes pas libres de faire ce que nous voulons. Au point de vue religieux, cette liberté de conscience exige que la conscience soit formée à la lumière des commandements de Dieu et de son Église. Dans le domaine religieux, comme dans le domaine civil, nous ne pouvons pas faire ce que nous voulons; nous sommes moralement liés par des exigences divines et ecclésiales. Il y a tendance à oublier et même à nier le rôle de l'Église dans le monde. Vivant dans une démocratie où il nous est permis de choisir à notre gré notre nourriture, notre vêtement, notre voiture, de dire et d'écrire tout ce que nous voulons et de voter pour le candidat de notre choix, nous sommes portés à croire que nous pouvons faire de même dans le domaine religieux, de choisir ce qui fait notre affaire et de laisser le reste; en somme pratiquer une «morale de situation» ou le «subjectivisme»; faire comme on veut. Ceci est faux car nous ne pouvons pas être libres d'accepter ou de rejeter la vérité.

[...] Pourquoi certains soi-disant théologiens ou chefs essaient-ils de minimiser les obligations des catholiques? Le christianisme n'a jamais été une religion à l'eau de rose et ne le sera jamais. Les vrais catholiques connaissent et admettent le rôle du Pape dans l'Église; sans lui c'en est fait de l'Église : ainsi l'a voulu le Christ. Que les ennemis de l'Église essaient de détruire cette autorité, on le comprend; mais que des catholiques, et même des chefs, s'acharnent à brimer cette voix qui crie dans le désert, cela ne se comprend pas.

Les jeunes sont avides de doctrine : ils veulent savoir quoi croire et quoi faire. C'est une des raisons pour lesquelles ils se donnent à certaines sectes religieuses qui, en certains domaines, sont plus exigeantes que l'Église catholique. Si le clergé est divisé, comme il semble l'être, et ne peut donner de réponses sûres et certaines, non seulement les jeunes, mais les plus âgés aussi, abandonneront la pratique religieuse. L'Église n'a jamais vécu dans le doute; elle ne peut vivre dans le doute actuellement. Le Pape Jean-Paul II disait récemment : «Il faut proclamer la vérité.» Acceptons la vérité et proclamons-la.

Texte sans date ni indication de publication,
mais destiné à *Le Madawaska*

Le sacerdoce

On pose la question : le prêtre a-t-il encore sa place dans la société d'aujourd'hui? Eh bien, oui : aussi longtemps que le monde aura besoin de Dieu, il aura besoin de prêtres pour le lui donner. Car le monde reçoit le Christ des mains du prêtre; du berceau à la tombe, le Christ a voulu que son prêtre nous accompagnât pour remplir le rôle que Lui, le Christ, remplirait. Il nous fait entrer dans la vie surnaturelle par le baptême et cette grâce du baptême est affermie par le prêtre de notre confirmation. L'âme est nourrie spirituellement dans l'Eucharistie que le prêtre fait à la messe et elle est relevée et pardonnée dans le sacrement du pardon; enfin, au soir de la vie, c'est encore le prêtre qui vient avec l'huile sainte, au nom de l'Église, nous purifier afin que l'âme puisse prendre son envol vers le ciel.

Le Christ a choisi des moyens humains pour faire œuvre surnaturelle et il a ainsi besoin des hommes. Beaucoup de prêtres se questionnent : ils constatent que le monde change tellement vite et profondément qu'ils sont pour ainsi dire perdus. Qui de nous n'a pas ressenti cela à certains moments de lassitude, d'ennui ou de fatigue? Attention au découragement : faisons confiance au Christ. Le Christ, quand il est venu, a pris les hommes tels qu'ils étaient, respectant en eux ce monde confus d'aspirations et de rêves.

[...] Aussi les Apôtres et tous leurs successeurs ont été des signes de contradiction et ont connu la persécution sous une forme ou l'autre à travers les crises sociales et religieuses que le monde a connues.

[...] Ces époques de crises de conscience charrient du bon et du mauvais. Nous, prêtres, avons à choisir. Signes de contradiction, nous le sommes et le serons toujours comme le Christ. Ce n'est donc pas en contestant l'autorité, en refusant la croix, en acceptant de vivre selon les idées et maximes du monde, que nous allons édifier ce peuple de Dieu et le conduire au Christ. Habitué à être l'homme qui énonce la vérité, le prêtre accepte mal la contradiction, mais il ne doit pas perdre courage comme si son action n'avait plus de sens. Prenons notre place entière dans la société mais restons prêtres.

[...] Le sacerdoce est critiqué, voire ridiculisé. On essaie de briser les liens entre prêtres et fidèles. C'est une véritable campagne que journaux, revues, télévision ont entreprise contre notre sacerdoce et contre les prêtres et des prêtres tombent dans le panneau; on parle de crise, de malaise, on met en évidence le plus possible certaines défections en en exagérant le nombre; on met en relief des déclarations de confrères qui, manquant de gros bon sens et de jugement, rendent les âmes perplexes et mettent leur foi en péril; on fait campagne contre le célibat pour tâcher de semer le doute dans des âmes sacerdotales. On voudrait faire croire à nos fidèles que pratiquement tous les prêtres sont malheureux, alors qu'en réalité la très grande majorité des prêtres regardent leur sacerdoce comme la plus grande grâce reçue de Dieu, une grâce qui a transformé et illuminé leur vie. J'estime que ces critiques à l'endroit de notre sacerdoce sont une des causes profondes de défections sacerdotales. [...] Une fête comme celle-ci doit nous aider à nous, prêtres, à revivifier notre foi au Christ à qui nous nous sommes consacrés, et à mieux comprendre nos responsabilités.

45e anniversaire d'ordination sacerdotale
de Mgr Arthur Gallien, P.D., Petit-Rocher, N.-B., 1971.

Pour saisir toute la grandeur de notre sacerdoce il faut lever les yeux et regarder du côté de Dieu, car le prêtre n'est pas un homme comme les autres, un spécialiste, un professionnel de telle discipline de la science humaine; c'est l'HOMME DE DIEU – homo Dei comme dit saint Paul, celui qui, par l'imposition des mains de l'évêque, a consacré son cœur pour en faire un autre cœur de Jésus – «Sacerdos alter Christus.» Nous ne sommes pas de simples prêcheurs ni des administrateurs, mais des prêtres qui existent pour offrir à Dieu le sacrifice. Si on ne regarde pas le sacerdoce avec les yeux de la foi, nous nous considéreront, et les fidèles nous considéreront, comme des hommes ordinaires; on nous jugera d'une manière humaine, comme beaucoup d'enquêtes sociologiques le démontrent, oubliant que nous sommes les anneaux qui remontent au Christ, le GRAND PRÊTRE.

[...] Chargé du culte de Dieu, le prêtre doit le glorifier au nom de toutes les créatures. Comment? D'abord par la messe en faisant descendre sur l'autel la divine victime et en l'offrant à Dieu le Père en son nom et au nom de tous les fidèles. Avant tout, le prêtre est l'homme de l'Eucharistie; c'est à l'autel qu'il est vraiment prêtre; c'est là l'acte sacerdotal par excellence. MYSTÈRE DE FOI, disons-nous après la consécration. Oui, mystère de foi, mais réalité.

[...] Sans doute, le sacerdoce du prêtre ne se terminera pas là. Pour être fidèle à sa vocation et répondre à l'appel du Christ qui, par amour l'a appelé à partager son œuvre de rédemption, il devra essayer de se faire tout à tous, pour employer la belle expression de saint Paul : comprendre les âmes, leur caractère, leurs difficultés, leurs faiblesses, leurs luttes et même leurs chutes, et toujours comme le Christ, distribuer le pardon, manifester une grande sympathie, une grande bonté et miséricorde et leur inspirer confiance en elles-mêmes et au Christ qui veut être aimé d'elles.

25e anniversaire d'ordination sacerdotale
du père Bertrand Ouellet, Saint-Léonard, N.-B., 24 mai 1987.

La Vierge Marie

Marie a une place bien définie dans le plan du salut parce que «quand vint la plénitude des temps, Dieu envoya son Fils, né d'une femme, né sujet de la loi afin de nous conférer l'adoption filiale. Et la preuve que vous êtes des fils, c'est que Dieu a envoyé dans nos cœurs l'Esprit de son Fils qui cria ABBA.» (St-Paul, Gal. 4, 4-6).

C'est par ces paroles de Paul que le Concile Vatican II reprend au début de son exposé sur la bienheureuse Vierge Marie – «Lumen gentium» – le rôle que Marie a joué dans le mystère du Christ et de l'Église.

Je lisais il y a quelques mois une déclaration du Père Dulles, s.j., théologien, à l'effet que la dévotion à la Sainte Vierge n'était pas une nécessité pour faire notre salut éternel. En principe, cela est vrai; mais dans la pratique, nous sommes mieux de prier et d'imiter la Vierge qui est notre Mère spirituelle et la Mère de l'Église. Tous les auteurs spirituels sont de cet avis. Saint Paul, souvent dans ses lettres, se recommande aux prières des fidèles. Si les prières des fidèles sont efficaces sur le cœur de Notre Seigneur, à plus forte raison la prière de la Sainte Vierge sera efficace sur le cœur de son Divin Fils, notre grand prêtre.

Prêtres et fidèles doivent se souvenir de cela et ne jamais oublier de prier et d'imiter la Vierge Marie pour obtenir un plus grand esprit d'obéissance et d'humilité sur lesquels repose la foi. Nous sommes les seuls à prier la Vierge, modèle parfait, Mère de l'Église.

À la même occasion que précitée.

En ce dimanche dans l'octave de la fête de la glorieuse assomption de Marie, nous sommes réunis pour chanter les gloires de la Vierge notre Mère et notre patronne et en même temps prendre part à la joie de l'Acadie renaissante dont nous sommes les enfants reconnaissants.

Mes frères, l'Assomption de Marie est le dernier événement de la vie mortelle de Marie, chef-d'œuvre de la création divine. Le commencement de cette vie a été marqué par une intervention singulière de la toute puissance de Dieu lorsque par un privilège ineffable Il la fit naître sans tache, immaculée dans sa conception. Au soir de cette vie si riche en mérites devant Dieu, la toute puissance divine intervient encore pour préserver ce corps qui a porté le Fils de Dieu de la corruption du tombeau. Marie est transportée corps et âme dans les splendeurs de la gloire de son Dieu.

Convention régionale de la Société l'Assomption,
Saint-Quentin, N.-B., 20 août 1944.

L'enseignement de l'Église ne change pas. L'Assomption de Marie au ciel en corps et en âme n'est pas une chose nouvelle quoiqu'en disent les ennemis de la vérité. Cette vérité était aussi vraie au premier siècle de l'Église qu'elle l'est aujourd'hui. De tout temps, en effet, les catholiques n'ont pas voulu désunir ce que Dieu avait uni, et voilà pourquoi ils ont toujours associé le Fils et la Mère dans leurs prières et leurs liturgies, non, certes, pour leur rendre un culte identique, mais pour donner à l'un et à l'autre les honneurs qui leur sont dus selon leur rang et leur dignité. Or, parmi ces honneurs qui sont dus à la Vierge, il y a celui de son Assomption en corps et en âme au ciel. Marie mourut, mais quelque temps après sa mort, Dieu la ressuscita et la fit monter au ciel pour être unie à son Fils bien-aimé. Il y a donc une forte analogie entre l'Ascension du Christ et l'Assomption de Marie; Jésus monta au ciel par sa propre puissance, tandis que la Vierge y monta par la puissance de son Créateur. Aussi parlons-nous de l'Ascension de Notre Seigneur et de l'Assomption de Marie.

Définition du dogme de l'Immaculée Conception,
dédicace de la chapelle des Filles de Marie-de-l'Assomption,
Campbellton, N.-B., le 4 septembre 1950.

Mgr Louis-Joseph-Arthur Melanson

Il est impossible pour les Filles de Marie-de-l'Assomption de fêter le 50e anniversaire de leur fondation sans rappeler le souvenir de celui qui fût l'architecte spirituel et matériel de cette institution.

Considérant la vie si active et si bien remplie de Mgr L.-J.-A. Melanson et ses nombreuses œuvres tant spirituelles que matérielles; considérant la grande influence qu'il exerçait pour le bien sous tous ses rapports, l'estime et les relations amicales qu'il avait d'un bout à l'autre du pays et même ailleurs; considérant son extérieur à la fois prévenant et imposant mais toujours sympathique, son maintien toujours noble, son affabilité, sa charité et son hospitalité – en un mot toutes les qualités qui font le parfait gentilhomme chrétien; considérant tout cela et surtout la sainteté de sa vie sacerdotale et son zèle apostolique infatigable, on ne peut s'étonner que lorsque le 23 octobre 1941, ce fils illustre de l'Acadie tomba au champ d'honneur en pleine activité débordante, le pays tout entier fut plongé dans un grand deuil personnel.

[...] Peu de vies sacerdotales sont aussi bien remplies que celle de Mgr Melanson. [...] La Divine Providence avait doué Mgr Melanson d'un grand tact, de la prudence des sages et d'une habilité financière remarquable qui inspirait confiance à tous ses paroissiens et diocésains. Les deux paroisses qu'il a régies et les deux diocèses qu'il a gouvernés ont largement bénéficié de ses grandes qualités financières.

[...] Mais c'est surtout à la jeunesse qu'il a prodigué ses attentions et son dévouement inlassable. Homme de grande expérience dans le ministère, il pouvait bien redouter les innovations, mais il ne craignait pas les œuvres voulues et approuvées par le Pape. Il aimait redire l'adage des Pères de l'Église : «Ubi Petrus ibi Ecclesia»; là où est Pierre, là est l'Église. Aussi s'est-il intéressé à toutes les œuvres de rénovation chrétienne. Chef par nature, il a activé les mouvements d'action catholique et sociale d'alors tels l'ACJC, le scoutisme et la bonne presse.

Doué d'une grande facilité de parole et de plume, il écrivit de nombreux articles pour journaux et revues, prit part à de nombreux congrès religieux et nationaux; tous ses sermons et ses conférences étaient remplis de doctrine et donnés avec simplicité et sincérité.

Lui, si aimant de la jeunesse, ne pouvait se désintéresser de l'éducation de l'enfance. [...] il rêva le rêve impossible de fonder une communauté, les «Filles de Marie-de-l'Assomption», religieuses enseignantes qui, ici et ailleurs, dispenseraient l'enseignement religieux à nos jeunes. Que de commentaires défavorables, que de découragements, que de difficultés morales et financières, que de longues veillées passées à mûrir ce projet audacieux et fou selon la sagesse humaine.

Je veux que cet hommage posthume soit celui d'un prêtre qui a joui de l'amitié de Mgr Melanson, qui l'a vu à l'œuvre, qui l'a admiré, qui a reçu de lui de précieux conseils, et qui veut lui rendre un tribut de reconnaissance pour tout le bien qu'il lui a fait.

Cette plaque souvenir que nous dévoilons en ce moment rappellera aux générations futures que Mgr Louis-Joseph-Arthur Melanson fut un cœur généreux, un bienfaiteur de sa race, un colonisateur zélé, un fondateur de communauté, un pasteur pieux, un patriote ardent, et qu'il est digne de vivre au ciel et dans le cœur des siens.

Maison-mère des Filles de Marie-de-l'Assomption,
Campbellton, N.-B., le 15 août 1972,
50e anniversaire de fondation de la communauté
et dévoilement d'une plaque commémorative
à la mémoire du fondateur.

S'il est vrai que les âmes bien nées ont le culte de l'amour et de la reconnaissance, il me semble que personne plus que vous, Filles de Marie-de-l'Assomption, doivent goûter la douce joie de chanter la nouvelle gloire de votre Mère. Fondées par une âme profondément mariale qui vous a placées sous la garde de la Vierge de l'Assomption, cette fête est pour vous une vraie fête de famille. Et ce grand cœur que fut le regretté Mgr Melanson s'associe à vous et à nous dans ce concert de louanges que nous faisons monter vers le trône de Celle qu'il a aimée et qu'il a fait aimer.

Campbellton, N.-B., 1950, dédicace de la chapelle
de la maison-mère des Filles de Marie-de-l'Assomption.

L'Acadie

Ce jour de fête que nous célébrons [l'Assomption] nous rappelle les souffrances inouïes du peuple acadien : il a souffert parce qu'il a aimé ce qu'il y a de plus beau, de plus grand, de plus divin, son Dieu, ses églises, ses traditions chrétiennes, sa langue et son pays. Mais si ce jour nous rappelle les deuils de notre petite patrie, s'il nous rappelle que, comme Marie, l'Acadie a connu l'amertume et l'humiliation, il nous rappelle aussi et surtout l'Assomption glorieuse de l'Acadie. Les souffrances si noblement endurées, le courage, l'héroïsme de nos ancêtres, portent aujourd'hui leurs fruits : l'Acadie est plus fière, plus grande, plus respectée que jamais et plus déterminée que jamais à revendiquer ses droits religieux et civiques.

Mes frères, dans cette lutte pour notre survivance, nous avons tous un rôle important à jouer, et il est d'importance suprême que chacun comprenne ce rôle. Il ne faut pas en effet que nous laissions quelques-uns seulement porter le fardeau de la lutte : si cela est, nous perdrons vite les vertus qui ont façonné le vrai visage de l'Acadie. Ce rôle, mes frères, je vous l'indique brièvement, car le temps ne me permet pas de vous en parler longuement. Il consiste, il me semble, à rester attaché le plus fortement possible à la foi et au sol, s'intéresser d'une manière pratique à la question vitale de l'éducation et à toutes les œuvres nationales, surtout celle de la bonne presse.

La foi, l'attachement à l'Église, ont été la grande force du peuple acadien. C'est la foi en Dieu et en Marie qui a donné à nos ancêtres le courage et la crânerie pour résister à leurs ennemis aux jours les plus difficiles de leur vie nationale : en fait on doit dire que c'est principalement parce qu'ils voulaient garder leur foi qu'ils ont refusé le serment d'allégeance et qu'ils ont été déportés.

[...] Enfin, mes chers amis, nous devons avoir une conscience nationale et non pas seulement paroissiale. Je veux dire par là que nous devons en tout temps unir nos efforts pour le bien commun.

[...] Nous avons la responsabilité de préparer l'avenir : préparons le beau en respectant le passé et secondons de plus en plus la société l'Assomption qui est la nôtre. Elle nous a aidés dans le passé : elle nous aidera dans l'avenir et encore davantage à condition que nous lui fassions confiance.

Convention régionale de la Société l'Assomption,
Saint-Quentin, N.-B., août 1944.

Quelle joie dans tous les cœurs catholiques : dans le cœur de nos évêques, des prêtres, des religieuses et des fidèles. Mais surtout quelle joie pour l'Acadie, qui aux jours de deuil ensoleillés toutefois d'espérance, s'est ralliée sous l'énergique détermination de ses chefs, qui brandissant l'étendard de Marie, la consacrèrent à la Vierge de l'Assomption, et lui donnèrent l'hymne de Marie, l'*Ave Maris Stella*, comme cri de ralliement et comme gage d'espérance et de victoire. L'âme mariale d'un Mgr François Richard et de tant d'autres qui ont battu la marche aux jours des luttes épiques et qui ont puisé lumière et force dans leur dévotion à la Vierge de l'Assomption, doivent tressaillir de joie en ce moment et chanter avec beaucoup plus d'amour encore l'*Ave Maris Stella*. Désormais, l'âme du petit Acadien devra vibrer davantage aux louanges de Marie, et elle sera à jamais reconnaissante au glorieux Pie XII d'avoir ajouté à la couronne déjà si riche de la Vierge un nouveau fleuron de gloire.

Définition du dogme de l'Immaculée Conception,
maison-mère des Filles de Marie-de-l'Assomption,
Campbellton, N.-B., le 4 septembre 1950.

Les Filles de Marie-de-l'Assomption

La génération actuelle est portée à critiquer les générations passées et à oublier les sacrifices par elles faits pour subvenir aux besoins de l'Église et de la société en général; que la génération actuelle se recueille et réfléchisse sur le désintéressement, l'esprit de foi, les sacrifices et l'amour des âmes requis pour fonder des œuvres comme celle des Filles de Marie-de-l'Assomption, et cela avec des moyens d'occasion.

Chères et vénérées jubilaires, il y a cinquante ans, alors que beaucoup qui sont ici n'étaient pas encore de ce monde, vous vous êtes données sans retour et sans réserve au Seigneur, et sous l'égide du regretté Mgr Melanson, alors curé de cette paroisse, vous avez jeté les bases d'une nouvelle communauté religieuse qui aurait pour but de promouvoir l'éducation chrétienne dans les différentes paroisses de l'Acadie et d'ailleurs. Quelle entreprise et quel défi...

[...] Vénérées jubilaires, c'est à votre gloire d'avoir répondu volontairement et généreusement à cet appel, d'avoir battu la marche à cette généreuse élite qui, forte de votre exemple et de vos prières, a, pendant cinquante ans, jeté les éléments de la science profane et religieuse dans les intelligences d'au moins trois générations, sans oublier ces gestes d'œuvres de miséricorde que vous avez pratiqués à l'endroit des plus pauvres de la société, des orphelins et des missions. Dans le domaine de l'éducation, la part prépondérante qu'ont prise nos maisons d'éducation pour la sauvegarde de la foi et de la langue constitue une des plus belles pages de notre histoire religieuse et nationale. Sans elles, nous devons nous le demander, que serait-il advenu du précieux héritage pour lequel les pionniers ont souffert le martyre?

Le zèle et l'énergie d'un clergé peu nombreux et de chefs laïcs avertis n'eussent pas suffi à garder vivace la flamme sacrée de la foi et de la langue. Ces hommes et ces femmes, consacrés à Dieu et éclairés, comprenaient trop l'importance de l'éducation pour un peuple, pour ne pas donner à notre jeunesse le meilleur de leur cœur, de leur temps et de leur science. Ils avaient compris qu'un peuple sans élite, sans ressources et à la merci d'un assimilateur est voué à la défaite, même à la mort, s'il n'a pas la seule arme qui puisse assurer sa survie matérielle et spirituelle, l'éducation. Quelles sont les maisons d'éducation qui ont donné autant que les nôtres et qui ont demandé si peu en retour?

[...] Qu'adviendra-t-il de cette communauté à laquelle vous avez tout donné? Votre fondateur, Mgr Melanson, disait : elle vivra si Dieu veut qu'elle vive. [...] Votre communauté vivra-t-elle? Si elle est voulue de Dieu et répond à un besoin des temps présents, elle vivra, sinon, elle disparaîtra. Dans Luc, 11-51 il est dit de la Sainte Vierge qu'elle «gardait dans son cœur le souvenir de tous ces événements.»

Acceptons avec humilité et résignation à la volonté de Dieu de voir disparaître des œuvres auxquelles nous avons donné le meilleur de nos intelligences et de notre cœur, mais gardons précieusement le souvenir de tous les événements qui ont marqué la naissance et le développement de votre communauté et de toutes les œuvres auxquelles nous nous sommes donnés.

On dit qu'à vieillir on aime vivre du passé; c'est vrai, mais il est certain que nous avons tous avantage à faire revivre les beaux souvenirs : quand l'esprit est meublé d'heureux souvenirs, le cœur aime en parler.

Sermon donné à Campbellton, N.-B.,
à l'occasion des fêtes du 50e anniversaire
de la profession religieuse des fondatrices des
Filles de Marie-de-l'Assomption, 15 août 1974.

Les Hospitalières de Saint-Joseph

Il y 90 ans et un mois, quatre religieuses Hospitalières mettaient le pied sur le sol de l'Acadie pour y implanter leur apostolat à l'endroit de la jeunesse qu'elles voulaient guider sur les sentiers d'un christianisme bien compris et, encore mieux, vécu, comme aussi à l'endroit des déshérités de la vie et des corps souffrants du Christ. Leur éloge n'est plus à faire; il est sur les lèvres et dans les cœurs de ceux et celles qui les ont connues pour les aimer, et qui ont bénéficié largement de leurs prières, de leurs sacrifices et de leurs soins maternels.

Ces épouses du Christ qui ont consacré une vie prometteuse à soulager la misère des autres en oubliant la leur, qui se sont privées presque du nécessaire de la vie pour distribuer aux corps, aux intelligences et aux âmes les largesses de la charité divine, ont fait une œuvre majestueuse et divine, une preuve qui, si elle nous laisse perplexes, tant les plans de Dieu sont insondables, réclame notre admiration et notre reconnaissance.

Qu'il suffise de mentionner Saint-Basile, Edmundston, Campbellton, Bathurst, Tracadie, Perth, Sorel, Caraquet, Lamèque et Saint-Quentin pour constater que le grain de sénevé a grandi et est devenu un magnifique arbre qui, loin de s'épuiser, déborde de vie. Vraiment les Religieuses Hospitalières sont devenues les spécialistes de l'hospitalisation dans notre région.

[...] Notre population apprécie-t-elle ces œuvres de miséricorde que l'Église fonde par l'entremise de ses communautés à qui elle a donné mission de la représenter au milieu de nous? Nous sommes tellement gagnés par l'égoïsme et le matérialisme que nous ne savons plus apprécier les vraies valeurs. Refaisons l'histoire de notre peuple, et nous conviendrons, si nous sommes pour la vérité, que les plus belles pages de cette histoire sont écrites par le dévouement, voire l'héroïsme, de toutes nos communautés religieuses. Gloire leur soit rendue.

En cette occasion, qu'il me soit permis de dire aux Hospitalières de Saint-Joseph toute l'admiration de l'Église et leur offrir ses remerciements pour l'œuvre salutaire et admirable qu'elles ont accomplie dans notre diocèse et ailleurs. Oui, Hospitalières, vos mérites sont grands, et vous avez droit à notre reconnaissance, à notre amour ainsi qu'à notre indéfectible attachement.

Bénédiction de l'hôpital de Saint-Quentin, N.-B., octobre 1963.

Centenaire du Madawaska

Mais il est des jours où l'Action de grâces doit jaillir plus ardente dans l'âme, jours que le Seigneur ordonne de rendre solennels et de consacrer à sa louange. Ainsi l'ordonnait le Seigneur dans l'Ancien Testament pour que le peuple se souvînt de ses bienfaits; ainsi le veut encore le Seigneur pour commémorer les grâces les plus singulières et les plus précieuses. C'est la raison d'être de cette cérémonie alors que, nous souvenant de notre héritage humain et chrétien, nous offrons le Sacrifice de louanges pour dire au Seigneur le merci du cœur pour tous les bienfaits dont il nous a comblés depuis un siècle.

Qui pourrait, tant au point de vue personnel que communautaire, raconter les grâces dont nous avons été choyés sur ce petit coin de terre que nous appelons le nôtre? Pensons aux pionniers qui ont subi persécutions sur persécutions à cause de leur foi et de leur langue, et qui ont, à travers mille périls, remonté la Saint-Jean pour se tailler un modeste domaine sur les deux rives de cette rivière. Gens simples mais croyants et vaillants, ils ont trimé dur pour fonder ces belles paroisses et les ont dotées de magnifiques temples à la gloire de Dieu. Que de peines endurées, quel rare esprit de foi et de générosité.

Un livre ne suffirait pas pour raconter les hauts faits de ce passé glorieux dont nous sommes les fiers héritiers [...] À l'exemple du Divin Maître qu'ils savaient prier et en qui ils se confiaient, ils ont porté de lourdes croix afin de léguer à leurs descendants un riche héritage de foi et de fierté culturelle. C'est la mémoire de ces aïeux, de ces héros obscurs et courageux que nous rappelons et vénérons pieusement aujourd'hui.

[...] On ne peut fêter ce centenaire sans rappeler le dévouement obscur et souvent si peu apprécié de toute une pléiade d'hommes et de femmes qui, sur les plans religieux, civique et culturel, ont œuvré la plupart du temps pour rien, pour faire du Madawaska ce qu'il est.

Mais nous ne pouvons pas vivre du passé : il faut envisager l'avenir et essayer de le bâtir, cet avenir, sur les mêmes principes qui ont fait la gloire et le succès du passé. Nous vivons dans un monde en pleine évolution et qui a forte tendance à oublier ces principes et même Dieu. Un grand nombre veulent bâtir la société sans Dieu.

[...] Avant de changer le monde, il faut commencer par nous changer : changer notre mentalité, notre manière d'apprécier les choses, notre esprit souvent infantile pour un esprit adulte. Nous opérerons ce changement dans la mesure où nous adopterons le programme du Christ qui doit rester le maître reconnu et accepté de notre société. Après, mais après seulement, pourrons-nous œuvrer sur le plan communautaire.

Si un centenaire nous permet de faire un retour en arrière et de rappeler avec gratitude et émotion la mémoire de tous ceux et celles qui ont donné le meilleur d'eux-mêmes pour bâtir le Madawaska religieux et civique, je crois que ce doit être aussi l'occasion de réfléchir sur les moyens à prendre pour continuer l'œuvre des pionniers afin que nous puissions aller de progrès en progrès dans tous les domaines.

Centenaire du Madawaska,
cathédrale d'Edmundston, N.-B., 1973.

Le rôle des laïcs

[...] «Les laïcs doivent comprendre parfaitement bien qu'ils n'appartiennent pas seulement à l'Église, mais qu'ILS SONT L'ÉGLISE.» (Pie XII). Ils ne doivent pas être conduits, mais conduire. C'est le siècle du laïcat.

Le mot «laïc» vient du grec et veut dire «le peuple». Dans l'Ancien Testament on l'employait pour parler du «peuple de Dieu». «Vous êtes un peuple saint aux yeux de votre Dieu. Il vous a choisi parmi toutes les nations de la terre pour être son peuple.» (Deut. VII-6). Et saint Pierre parlant aux premiers chrétiens dit : «Vous êtes une race royale, un sacerdoce royal, une nation sainte, un peuple racheté, le peuple de Dieu.» (Pierre, II-9).

Le laïc est un chrétien qui aime et sert le Christ dans le monde. Pie XII [disait] : «La consécration du monde est essentiellement le travail du laïc, d'hommes et de femmes qui font partie de la vie économique et sociale du monde, qui participent au gouvernement de ce monde. De la même manière, seuls les ouvriers peuvent établir les cellules de l'Église au milieu des travailleurs et ramener à l'Église ceux qui l'ont abandonnée.» Le laïc catholique est appelé à consacrer le monde.

[...] Consacrer veut dire rendre saint. Ainsi le laïc reçoit le défi de sanctifier ce monde dans lequel il vit. Il est un médiateur, un trait d'union entre l'Église et le monde; il découvre le Christ, «la voie, la vérité et la vie», et le donne au monde. À titre de citoyen de l'Église et du monde, il est comme un pont qui relie les deux. Le prêtre se tient entre Dieu et les hommes; le laïc se tient entre l'Église et le monde.

[...] Il n'est pas vrai de dire que notre siècle a découvert la place du laïcat ou que l'Église avait découvert qu'elle avait besoin des laïcs pour accomplir son œuvre. De fait, dès son origine, l'Église de Dieu a progressé dans le monde grâce à l'action conjointe de la hiérarchie et du laïcat. S'il est juste de dire que sans la hiérarchie il n'y aurait pas d'Église, il est aussi juste de dire que sans laïcs il n'y aurait pas d'Église. Et pas simplement parce que sans laïcs l'Église serait un corps sans membres, mais aussi parce que sans laïcs l'Église ne pourrait pas remplir sa mission qui est d'apporter à tous les hommes le message du salut et de les sauver.

[...] L'action des laïcs n'est pas, en effet, simplement une aide au service de l'action de la hiérarchie, une besogne de suppléance pour des œuvres que, normalement, la hiérarchie devrait accomplir mais que, de fait, elle ne pourrait accomplir. Elle a sa valeur propre, sa qualité spécifique et irremplaçable dans l'apostolat. L'action de la hiérarchie et l'action des laïcs sont les deux formes complémentaires de l'action de l'Église, parce que dans le dessein de Dieu, hiérarchie et laïcat doivent réaliser ensemble, quoique chacun [sur] son mode propre, la mission de salut confiée à l'Église.

Il ne faut donc pas que le laïcat soit mis en tutelle et que le laïcat soit condamné à ne pas avoir d'initiative. Un laïcat adulte doit pouvoir prendre ses responsabilités, et la hiérarchie ne peut que s'en réjouir, si elle se considère vraiment au service de l'Église, si elle voit son autorité comme une autorité évangélique de service, non de puissance humaine.

Conférence aux Ligues du Sacré-Cœur,
Dalhousie, N.-B., 1963.

Les femmes dans l'Église

En ce qui a trait à l'ordination des femmes, l'Église nous dit dans sa législation : «Pour la validité, le prêtre doit être un homme.» (Canon 1024). C'est triste d'entendre des femmes exiger comme un droit d'être ordonné prêtre. Personne n'a le droit d'être ordonné prêtre; c'est un privilège. Et qui a le droit de dicter à l'Église ce qu'elle doit faire?

On nous demande s'il n'est pas à propos de changer les règlements au sujet de l'admission d'un membre [les Filles d'Isabelle]. Vous savez qu'il est demandé à une candidate : «Vous êtes sur le point d'entrer dans une association de femmes catholiques pratiquantes qui ne reconnaissent qu'une seule foi et une seule Église. Si vous cessez d'être une catholique pratiquante vous cesserez par le fait même d'être membre de cette association.»

Nous les rejetons comme membres si elles ne sont pas catholiques pratiquantes et nous les rejetons après qu'elles [sont devenues] membres si, à cause d'un divorce elles se remarient ou si elles vivent en concubinage. On se plaint qu'il est difficile de faire du recrutement à cause de ces cas. Que faire?

Votre mouvement est un mouvement d'Église, un mouvement d'Action catholique. Votre association n'est donc pas un organisme civique ou social comme les Femmes Richelieu ou les Lionnettes. Vous formez une association de catholiques pratiquantes qui veulent vivre leur vie chrétienne en étant fidèles à leur messe dominicale et en semant le bon exemple dans votre vie privée et publique.

L'Église a un urgent besoin d'apôtres laïcs qui veulent être «lumière du monde et sel de la terre»; elle a les yeux sur les Filles d'Isabelle pour bonifier notre société malade. Comment pouvez-vous aider l'Église à améliorer notre monde si vous vous moquez d'elle et vivez en marge de ses enseignements?

[...] Vous n'êtes pas sans savoir toutes les critiques qui sont lancées contre l'Église. Qui sont ces «critiqueurs» ou «critiqueuses» sinon surtout celles qui ont abandonné leur pratique religieuse et qui voudraient se faire passer pour des femmes honnêtes et respectables. Si les Filles d'Isabelle ne constituent pas un actif pour l'Église, elles sont mieux de disparaître.

[...] Tout en vous félicitant du travail accompli, je vous dis donc, Mesdames et Mesdemoiselles, soyez des catholiques ferventes et n'ayez pas peur d'afficher votre catholicisme, sans ostentation mais aussi sans faiblesse. Rendez témoignage à la vérité par votre vie catholique et, au lieu d'essayer d'affaiblir votre association en relâchant votre constitution, fortifiez-la en n'oubliant jamais que ce n'est pas le nombre qui compte mais la qualité.

Congrès des Filles d'Isabelle
(dont il était l'aumônier provincial),
Edmundston, N.-B., 1985.

L'éducation

Le christianisme n'est pas, comme beaucoup le pensent, une série de dogmes à croire, mais une vie à vivre, une vie qui doit compénétrer toutes les phases de la vie humaine. Le Christ n'a-t-il pas dit : «Je suis venu pour qu'ils aient la vie et une vie plus abondante»? Vivant dans une société pluraliste, nous comprenons qu'il est impossible aux autorités civiles de légiférer dans le sens que je viens d'indiquer et de créer des écoles chrétiennes, encore moins des écoles catholiques. Mais l'Église ne perd jamais de vue l'idéal à poursuivre et à atteindre. Naturellement, tout prêtre se doit de défendre ces vérités et de travailler à instaurer dans sa paroisse des écoles où se fera la véritable éducation des enfants.

[...] Depuis 50 ans, plusieurs générations de nos jeunes ont bénéficié de l'enseignement donné dans cette institution. Il me plaît de féliciter et de remercier tous ceux et celles, vicaires, instituteurs et institutrices qui, non seulement ont donné de leur temps et de leurs énergies pour façonner les esprits et les cœurs de toute cette jeunesse qui se doit d'apprécier ce que leurs devanciers ont fait, mais qui ont gracieusement donné un surplus de temps chaque jour pour orienter par la catéchèse les jeunes vers une vie catholique bien vécue.

Que les éducateurs du jour se rappellent que l'éducation n'est pas une technique mais un art et un art divin. Il faut donc une touche divine pour faire une œuvre divine. On ne vous demande pas de récolter mais de semer; non de réussir mais d'y travailler, non d'atteindre le but mais d'y tendre. Dieu fera le reste[1].

50e anniversaire de l'école Notre-Dame,
Edmundston-Est, le 18 mai 1990.

---

1. «Chers éducateurs, voué comme vous à un ministère complexe, et pas toujours facile ni consolant, je me plais à vous répéter une parole que S.E. Mgr M.-A. Roy m'a souvent dite et qu'il vous a citée dans l'une de ses conférences sur l'éducation : "On ne vous demande pas de récolter, mais de semer; non de réussir, mais d'y travailler; non d'atteindre le but,

Et pourtant, Mesdames et Messieurs, le fondement de l'éducation réside dans les valeurs spirituelles enseignées et pratiquées. Nous devons tenir avec Pie XI que le but final de l'éducation «consiste à enseigner à l'homme ce qu'il doit être et comment il doit se comporter dans cette vie terrestre pour atteindre la fin sublime en vue de laquelle il a été créé». Cette vérité est d'évidence naturelle. Des païens l'ont comprise. L'un d'entre eux disait : «S'il était prouvé que les classes ne sont utiles que pour s'instruire et qu'elles nuisent aux mœurs, il vaudrait mieux vivre honnêtement que d'être habile orateur.»

Mais ce que les païens ne savent pas et que beaucoup, de nos jours, n'apprécient pas, c'est que l'homme naturel a été élevé à l'ordre surnaturel, que l'éducation doit donc dégager dans l'enfant l'humain et le divin en harmonisant ces deux éléments en subordonnant, ainsi qu'on le doit, l'humain au divin.

[...] Reconnaissant l'essor progressif que toute science humaine doit prendre, l'Église n'a jamais boudé le progrès, le vrai progrès qui fera le bonheur et la prospérité matérielle et spirituelle des nations comme des individus; pour cela elle adaptera son programme d'éducation au temps et aux besoins des peuples, mais sans jamais pour cela sacrifier les principes fondamentaux. On la dit vieillotte et arriérée : je vous demande, Mesdames et Messieurs, qui d'elle ou de ses ennemis l'est davantage?

[...] Enseigner aux enfants les valeurs spirituelles, c'est donc buriner en leur âme l'image du Christ, former leur conscience à aimer ce que le Christ aime et à haïr ce qu'il hait, étaler sous leurs yeux et faire pénétrer en leur cœur l'ensemble des vérités religieuses avec toutes les exigences qu'elles comportent.

---

mais d'y tendre. Dieu fera le reste." Que ces paroles de ce grand éducateur qui a donné sa vie pour le triomphe de ces idées soient à jamais pour vous votre encouragement et votre soutien.» N. Pichette, conférence radiophonique durant la Semaine d'éducation, CJEM, Edmundston, 1948.

Pour faire ce travail gigantesque, je l'admets, mais combien divin, nécessaire et consolant, il faut un personnel qui a conscience de ses valeurs spirituelles, qui comprend que la place de Dieu c'est d'être partout; un personnel à la conscience droite et apôtre qui ne mesure pas son dévouement au salaire perçu; un personnel qui, fier de son titre de chrétien, vit sa vie surnaturelle dans toute sa plénitude et sa beauté et qui est animé du désir de transmettre à notre jeunesse le dépôt sacré de la Foi et l'amour des valeurs spirituelles.

Chers éducateurs, c'est là votre tâche et votre gloire. Rien de plus, mais rien de moins. Et ce n'est que quand vous tendrez vers cet idéal que vous serez vraiment éducateurs. [...] Le vieil adage classique est toujours vrai : «Nemo dat quod non habet» – on ne donne pas ce qu'on n'a pas.

Conférence radiophonique sur les ondes de CJEM,
Edmundston, N.-B., Semaine d'éducation, 1948,
en remplacement de Mgr M.-A. Roy, décédé.

Ce congrès qui nous réunit en cette ville épiscopale doit nous forcer à prendre une prise de conscience de ce que sont nos devoirs d'élite sur une question aussi importante que celle de l'éducation. Le mot «association» doit nous indiquer tout d'abord que si nous voulons constituer une force ici comme ailleurs, nous devons avoir unité de pensée et unité d'action. Ce ne sont pas les intérêts privés, particuliers, individuels, qui doivent nous préoccuper, mais avec un sens social, trop souvent oublié ou ignoré, penser à la masse pour que l'avenir de notre peuple, de notre jeunesse soit plus brillant et mieux assuré. Ce qui a fait et continue de faire notre faiblesse c'est ce manque d'union de pensée et d'action.

[...] Comme chrétiens, nous ne pouvons accepter les idées de ceux qui n'ont pas notre foi; comme Français nous ne pouvons pas vouloir que notre jeunesse soit éduquée dans l'ignorance de sa langue et de ses traditions. Pour lutter effectivement nous avons besoin de deux armes : la famille et l'école. Il faut donc que nous unissions nos énergies pour que notre système éducationnel soit imprégné de christianisme.

Congrès de l'Association acadienne d'éducation,
Edmundston, octobre 1958.

Si un gouverneur anglais, Durham, a donné comme consigne de garder le peuple canadien-français dans l'ignorance pour mieux l'asservir et détruire son âme, la Divine Providence a suscité chez nous des hommes éclairés et pleins de foi qui ont dit : dans l'ignorance vous ne nous garderez pas. Nous comprenons trop l'importance de l'éducation pour un peuple pour que nous ne mettions tout en branle pour bâtir et maintenir des maisons d'éducation où notre jeunesse pourra puiser, comme à des sources d'eau vive, les principes chrétiens qui feront d'elle une jeunesse croyante et dévouée aux intérêts de l'Église et de la Patrie.

Sermon, réunion générale de
l'Association des anciens élèves du collège Sainte-Anne,
Pointe-de-l'Église, N.-É., 11 juillet 1956.

Au sujet de l'éducation, il y aurait beaucoup à dire. Je ne veux pas insister sur les injustices qui nous sont faites au point de vue scolaire. Je me contente d'en parler pour vous exhorter en ce jour d'examen de conscience et de résolutions nationales de ne pas négliger l'éducation de vos enfants. Certes il y a eu beaucoup d'améliorations dans ce domaine depuis quelques années : les classes sont fréquentées plus assidûment, nous avons un nombre sans cesse grandissant de nos jeunes à fréquenter nos collèges et nos couvents, mais vous admettrez facilement que nous avons de grands progrès à réaliser.

Combien de parents qui ne comprennent pas encore l'importance de l'éducation et qui, pour quelques piastres qu'un jeune peut gagner, surtout en ces années de prospérité, l'envoient au travail à un âge où il devrait être à l'étude. Vous me direz : cela demande de grands sacrifices. Je le sais mais comprenons donc qu'il n'y a rien de bon qui ne se fait sans sacrifice. [...] Soyez donc prêts à faire les sacrifices nécessaires pour donner à vos enfants le plus d'instruction et le plus d'éducation possible.

Convention régionale de la Société l'Assomption,
Saint-Quentin, N.-B., le 20 août 1944.

Nos communautés religieuses se retirent petit à petit, faute d'effectifs, du domaine de l'enseignement. D'aucuns s'en réjouissent, mais nous verrons à la longue comment ceux qui ont la responsabilité de l'éducation de la jeunesse à tous les niveaux vont faire. Si les responsables oublient les principes chrétiens, ils meubleront les intelligences mais sècheront les cœurs; ils se limiteront à des questions de curriculum, de bibliothèques, de laboratoires; il sera uniquement question de savoir livresque, de connaissances géographiques et mathématiques ou de grosseur de portefeuille que ces connaissances peuvent apporter; ils oublieront les valeurs humaines et chrétiennes. Or, pour les donner ces valeurs, il faut les posséder. Nos communautés religieuses sont nées d'un besoin : du besoin de véhiculer ces valeurs humaines et chrétiennes non seulement dans le domaine éducationnel, mais aussi dans les domaines hospitalier, social et autres. Ce besoin existera toujours, mais sa valeur est de moins en moins reconnue dans notre monde qui se sécularise de plus en plus.

Campbellton, le 15 août 1974,
50e anniversaire des fondatrices des
Filles de Marie-de-l'Assomption.

DOCUMENT II

Le document qui suit est le texte de la pétition des paroissiens anglophones de Chatham et de Loggieville adressée à Mgr P.-A. Chiasson, alors évêque de Chatham, en septembre 1933. La pétition avait été un facteur déterminant dans la décision de Mgr Chiasson de transférer son siège épiscopal de Chatham à Bathurst. Sans date sur les diverses et nombreuses copies qui existent, Mgr Pichette avait inscrit sur son exemplaire : septembre 1933. Pour la réponse point par point qu'adressa Mgr P.-A. Chiasson au délégué apostolique, personnellement mis en cause dans cette pétition, consulter Alexandre-J. Savoie, *Un siècle de revendications scolaires au Nouveau-Brunswick 1871-1971*, vol. 2, Les commandeurs de l'Ordre à l'œuvre (1934-1939), 1980, Appendice E. La réponse de Mgr Chiasson ne se trouve pas dans le fonds Alexandre-J. Savoie déposé au Centre d'études acadiennes. Il doit se trouver dans les archives du diocèse de Bathurst et il est possible que M. Savoie ait pu le consulter et le copier.

To His Excellency the Rt. Rev. P.A. Chiasson
Bishop of Chatham

Your Excellency; -

WHEREAS the town of Chatham is an English-speaking parish and the largest such within the diocese of Chatham;

And WHEREAS we are British subjects and our vernacular is English as is that of our Mother Country;

And WHEREAS there is nobody within the confines of the Parish of Chatham who does not understand and speak the English language;

And WHEREAS fully ninety per cent of the people of the Parish of Chatham do not speak or understand the French language;

And WHEREAS Your Excellency in addressing the A.C.J.C. at Campbellton this year gave expression to that which is the avowed intention of the French people, namely:- To dominate the Province of N.B. not only Ecclesiastically, but also politically;

And WHEREAS the use of the English language is prohibited at the club belonging to the A.C.J.C. [Association catholique de la jeunesse canadienne] at Campbellton under penalty of a fine;

And WHEREAS it is an established and well recognized fact that the entire body of the French-speaking clergy have been for years and are today propagandisers for the spread of the French language with the ultimate though impossible end of changing the Province of N.B. from an English to a French-speaking Province;

And WHEREAS the French-speaking clergy are availing themselves of every means to further this avowed purpose, even to the extent of attempting to identify our holy religion with the French-speaking people, and even have not hesitated to make use of the privacy of the Sacred Tribunal of Penance;

And WHEREAS this propaganda has been advanced to such a stage that even the representative to us of our Holy Father the Pope [Mgr Andrea Cassulo, délégué apostolique au Canada de 1927 à 1936] has been mislead into addressing this Congregation on the occasion of His last visit to Chatham in the French language, a tongue which is not understandable to at least ninety per cent of the people of the Parish;

And WHEREAS we are most anxious to defeat the efforts of propagandists for the French-language, as we are citizens of a dependancy of the English Crown and most anxious to avoid being identified in our language with any foreign country to the danger of having our religion looked upon with suspicion of disloyalty by our separated brethren, who are entirely English-speaking;

And WHEREAS our French co-religionists have not hesitated to express their particular antagonism toward their English-speaking brethren in the faith, to the extent of supporting our separated brethren for public office, to the exclusion of the English-speaking Catholics where one of their own was not available or suitable;

And WHEREAS the English-speaking Catholics of this Parish are as proud of and as enthousiastic in our support of the English language, the language of the influential press, of the Courts of Justice, the language of the great majority of Government and educational officials, as well as of the commercial life of the Province, as the French are in the promotion of their own language, and most anxious that the position of God's representative in His Holy Priesthood should not be made use of for the furtherance of French political ends;

And WHEREAS there are at present a Bishop and three French-speaking priests and only one English-speaking priest connected with our Parish-Church, St. Michael's Cathedral;

And WHEREAS St. Michael's Cathedral has been three-quarters, and the Palace entirely constructed by the contributions of the English-speaking people;

And WHEREAS the five clergymen above mentioned are kept entirely by the contributions of the people of the Parish of Chatham;

And WHEREAS we are most anxious to advance the spread of the teaching of Holy Mother Church to our separated brethren who are entirely English-speaking and nationally unsympathetic if not antagonistic to the language of a foreign power so different in its history, ideals, and political aspirations from our own;

And WHEREAS we believe that the efforts for the spread of the French language are detrimental to the increase of the Church through conversions, which can only be made from English-speaking people in this country;

And WHEREAS in furtherance of the intention to dominate, colonization schemes are being fostered by the French clergy with governmental cooperation among French-speaking people, whereby families of their own race and language are being settled along the Miramichi Road, near Bathurst, while English-speaking families have been repeatedly refused land along the same Road, near Chatham, on various pretexts;

And WHEREAS it is the right of every Catholic to take his grievances before His Excellency, the representative of the Holy Father at Ottawa;

And WHEREAS we consider it, in this cause, a pious duty and in the interest of the spread of the Catholic Faith in Canada to draw to His Excellency's attention the grave danger that exists in sacrificing the propagation and increase of the Faith in order to advance French nationalistic interests and influence;

NOW THEREFORE, we, the English-speaking people of the Parish of Chatham, whilst affirming our unswerving devotion to Holy Mother Church and our loyalty to Your Excellency who represents to us the voice of the successor of St. Peter, and not failing to realise Your great dignity in the Church of God as a good and holy Bishop, and being most desirous of avoiding any derogation to your exalted position as our spiritual father in Christ, most humbly petition Your Excellency to appoint a staff of Priests of our own race and nationality to assist our Parish Priest in the administration of the Parish, knowing full well as Your Excellency doubtless does, that such priests are available, and further, that Your Excellency deign to appoint some experienced English Priests to further colonization by English-speaking families;

And finally, that Your Excellency, now that the matter has been drawn to your attention with its attendant great danger discourage and prohibit your Priests and your flock from in any way attempting to identify our Holy Religion with French nationalistic ambitions.

Well aware as we are of their Excellencies deep interest in all matters pertaining to the welfare of the Church in this section of the Country, we are sending copies of the within petition to His Excellency the Archbishop of Halifax [Mgr Thomas O'Donnell, archevêque d'Halifax de 1931 à 1936].

Presented on behalf of the Parishioners of the towns of Chatham and Loggieville.

Document III

Généalogie ascendante de Mgr Numa Pichette, P.A.

1. Jean Pichet dit Pégin, du diocèse de Poitiers. Né vers 1636. Confirmé à Château-Richer le 2 février 1660 par Mgr François de Montmorency-Laval. Marié en 1666 à Marie-Madeleine Leblanc, fille de Jean Leblanc dit Lecour et de Euphrosine-Madeleine Nicolet. Concession d'une terre à Saint-Pierre, île d'Orléans, le 10 août 1662. Sépulture le 17 juin 1699. 6 enfants.
2. Jacques Pichet dit Pégin, baptisé à Notre-Dame de Québec le 20 mai 1668. Marié à Sainte-Famille, île d'Orléans, le 30 avril 1696, à Louise Asselin, fille de Jacques Asselin et de Louise Roussin. Sépulture à Saint-Pierre, île d'Orléans le 10 avril 1713. 7 enfants.
3. Louis Pichet, baptisé à Saint-Pierre, île d'Orléans, le 18 mai 1706. Marié en premières noces à Sainte-Famille, île d'Orléans le 20 janvier 1733, à Marie-Josephte Beauché dit Morency et en deuxièmes noces à Saint-Pierre, le 2 février 1738, à Marie-Dorothée Noël, fille de Pierre Noël et de Louise Gosselin. Sépulture à Saint-Pierre le 20 janvier 1760. 1 fille du 1er mariage, 4 enfants du second.
4. Pierre Pichet, baptisé à Saint-Pierre le 8 février 1742. Marié au même endroit le 24 novembre 1766 à Angélique Ratté, fille de Charles-Amador Ratté et de Marie-Jeanne Paradis. Sépulture à Saint-Pierre le 26 avril 1799. 9 enfants.
5. Louis Pichet, baptisé à Saint-Pierre le 9 mars 1773. Marié au même endroit le 2 février 1807 à Marguerite Leclerc, fille de Louis Leclerc et d'Ursule Noël. Sépulture le 3 mai 1842. Cette famille séjourna dans les paroisses de Saint-Pierre et de Saint-Laurent, île d'Orléans, et à Saint-Roch, dans la ville de Québec. 15 enfants : 10 filles et 5 garçons.

6. Louis Pichet, baptisé à Saint-Pierre le 17 décembre 1807. Marié au même endroit le 1er juillet 1834 à Marie Rousseau, fille de Louis Rousseau et de Marie Turcot. Sépulture à Saint-Pierre le 26 juin 1893. 5 enfants.
7. Magloire-Octave Pichette, baptisé le 11 septembre 1841 à Saint-Pierre. Marié à Carleton le 1er septembre 1868 à Philomène Ferlatte, fille de Hubert Ferlatte et de Lucille Landry. Sépulture à Nouvelle le 28 janvier 1929. 10 enfants.
8. Joseph-Octave Pichette, baptisé à Nouvelle le 21 juin 1874. Marié le 2 février 1897 au même endroit à Marguerite Fallu, fille de Philippe Fallu et de Sophie Berthelot. Décédé à Saint-Basile (Madawaska), N.-B., et inhumé à Campbellton le 4 février 1944. 10 enfants dont 6 survécurent : Marguerite-Mai, Lionel, Albert, Louis-Philippe, Corinne, Numa.
9. Monseigneur Numa Pichette, P.A. (1906-1992).

REPÈRES BIOGRAPHIQUES

17 avril 1906	Naissance à Nouvelle, Québec, paroisse Saint-Jean-l'Évangéliste
1912-1920	Études primaires, au couvent de Dalhousie, N.-B., et à Campbellton, N.-B.
1920-1926	Études classiques au collège Sainte-Anne, Pointe-de-l'Église, N.-É.; études théologiques au grand séminaire Saint-Cœur-de-Marie, Halifax, N.-É.
19 juin 1930	Ordonné prêtre à Campbellton
1932	Doctorat en droit canon de l'Angelicum, Rome
1933-1938	Vicaire à la paroisse cathédrale de Chatham, N.-B.
1937-1938	Administrateur de la paroisse de Loggieville, N.-B.
19 juin 1938	Curé fondateur de la paroisse Notre-Dame-des-Sept-Douleurs, Edmundston, N.-B.
9 mai 1946	Entreprend la radiodiffusion quotidienne de la prière du matin, en direct, sur les ondes de CJEM, ministère assumé durant dix-neuf ans
12 juin 1951	Début de la construction de l'église actuelle
10 décembre 1953	Bénédiction de l'église
26 mai 1956	Élevé à la dignité de prélat domestique
26 juin 1956	Investiture
11 juillet 1961	Nommé vicaire général du diocèse d'Edmundston
7 mars 1963	Promu à la dignité de protonotaire apostolique ad instar participantium
19 juin 1963	Intronisé, 25e anniversaire de la fondation de la paroisse

19 juin 1971	Démissionne de sa cure après trente-trois ans comme curé; retraite active avec ministère dominical dans le diocèse d'Edmundston et dans le diocèse américain de Portland, Maine
1975	Fondation des Résidences Mgr-Pichette dont il sera le directeur général et le chapelain jusqu'à sa mort
mai 1978	Inauguration et bénédiction des Résidences
juin 1980	50e anniversaire d'ordination sacerdotale
1988	Le conseil municipal d'Edmundston change le nom de la rue du 15 août en boulevard Mgr-Numa-Pichette.
19 juin 1990	60e anniversaire d'ordination sacerdotale
19 février 1992	Décès à Edmundston
24 février 1992	Inhumation dans le cimetière de la paroisse Notre-Dame-des-Sept-Douleurs

Table des matières

• Cap-Saint-Ignace
• Sainte-Marie (Beauce)
Québec, Canada
1995